CW00855220

Gerald Rauscher

Kein Zeichen, kein Wunder

Rolf Hochhuth über Schöpfer, Schöpfung und Geschöpf

Mit einem Schriftsteller-Gespräch

Herstellung und Verlag: BoD - Books on Demand, Norderstedt

Zur Umschlagabbildung:
Das Foto wurde von Gerald Rauscher am 28. Dezember 1999 in Hochhuths Berliner Wohnung aufgenommen. Die Verwendung hat Rolf Hochhuth ausdrücklich erlaubt.

Satz & Layout: Andreas Heel

ISBN 978-3-751-94809-8

Im Gedenken an meinen Vater

Inhalt

Vorbemerkung

„Schreiben heißt zuerst: sich vergewissern wollen“[1]: dieses Hochhuthsche Motto gilt um nichts weniger auch für den mit dem Autor Beschäftigten. ‚Sich vergewissern wollen‘ steht methodisch in Opposition zu ‚schon Gewißheit haben‘. Dieses schriftstellerische Ethos kann auch als Appell gelesen werden für eine hermeneutische Vervorsichtigung im Umgang mit Materien, die – durch Emotion und Vorurteil beladen – stets die Gefahr eines vorschnellen Bescheidwissens bergen. Vergewisserndes Schreiben setzt gewissenhaftes Lesen voraus, denn man kann einem so vielfältig versierten Schriftsteller wie Rolf Hochhuth nur gerecht werden, wenn man sein Œuvre – wenigstens annäherungsweise – zu überblicken versucht. Müßte man dessen Wirkprinzip in einem Satz zusammenfassen, käme man wohl unweigerlich auf eine ähnliche Formel, wie sie Albert von Schirnding formuliert hat: „Die Gerichtsverhandlung ist das Muster, nach dem Rolf Hochhuths Bücher ablaufen. Immer geht es um einen örtlich und zeitlich genau lokalisierten Fall; der Autor tritt als Ankläger und Rechtsanwalt auf, der Leser ist zum Richter bestellt.“[2]

---

[1] Rolf Hochhuth: Die Rächerinnen Livia und Agrippina, in: ders.: Julia oder der Weg zur Macht, Berlin 1995, S. 223 f.

[2] Albert von Schirnding: Plädoyer für den Einzelgänger, in: Reinhart Hoffmeister (Hg.): Rolf Hochhuth. Dokumente zur politischen Wirkung, München 1980, S. 223.

Es ist klar, daß die Aufspaltung in die drei Themenblöcke Religion, Geschichte und Moral eine künstliche, wenn nicht sogar eine gewaltsame ist, zumal Hochhuths Werk ja gerade eine geniale Legierung derselben darstellt. Ihre getrennte Behandlung beabsichtigt jedoch, die Wahrnehmung von Interdependenzen zwischen diesen Materien zu schärfen. Der reportagehafte-exemplifizierende Duktus dieser Arbeit soll nicht den behandelten Autor, dem man ja in der Tat oft einen journalistischen, d. h. unkünstlerischen Zugang zu seinen Themen vorzuwerfen pflegt, imitieren, er soll vielmehr das Eingeständnis einer unmöglich allumfassenden Behandlung dieses Übergroßen widerspiegeln.

Daß Hochhuths Werk hier zum Gegenstand einer theologisch-ethischen Reflexion gemacht wird, soll keinesfalls suggerieren, es handle sich bei diesem um religiöse Schriften oder gar um christliche Literatur. Ob man nun Benns Verdikt – daß Religiosität ein schlechtes Stilprinzip und deshalb mit ihr keine gute Poesie zu machen ist – beipflichtet oder nicht, an Rolf Hochhuth würde ohnehin kein wie immer beschriftetes Etikett haftenbleiben. Weil heute, nach dem Zusammenbruch der stimmigen Glaubenswelt, Schreiben und Zweifeln Synonyme geworden sind, kann es überzeugende Glaubensliteratur so wenig geben wie skeptische Liturgie. Wenn Hochhuth theologisch relevante Themen aufgreift, berechtigt dies niemanden, hieraus ein Glaubensbekenntnis des Autors abzulesen. Die Behandlung dieser Themen ist literarisch motiviert, geschieht also gerade deshalb, weil der Autor nicht glauben kann, was kirchliche Dogmatik als wahr anpreist. Sein Engagement entstammt einem anthropologischen Interesse, er möchte den Menschen verstehen lernen.

Der lästige Literat verhält sich zu seinen Stoffen immer wie ein ungläubiger Thomas, er möchte sich zuerst durch sein Schreiben vergewissern. Alles Fertige, Abgeschlossene ist ihm verdächtig. „Literatur hat immer mit Häresie zu tun, mag es nun eine theistische oder atheistische Kirche sein, gegen die sie sich zu behaupten hat. Literatur ist häretisch, weil sie ihrem Wesen nach progressiv und liberal ist."[3] Nur ein ‚harmloser' Schriftsteller unterwirft sich einem Parteiprogramm. Nach einer Musilschen Weisheit nämlich verträgt eine fertige Weltanschauung keine Dichtung – außer der rekrutierten. Literatur, die etwas taugt, optiert für die Mündigkeit und Freiheit des Erdenmenschen, sie hat wesentlich sittlich-moralischen Charakter.

Ein Dichter ist jemand, der sich weigert, die Sprache und also auch die Menschen zu ‚benutzen'. Dies gilt auch für den Leser, denn Lesen ist der Inbegriff freiwilligen und freiheitsschaffenden Tuns. Rolf Hochhuths Schreibstil wirkt zuweilen spröde, hausbacken, unspektakulär. Hochhuths Werk hat die Unscheinbarkeit eines Laibes Brot, dessen erstes Anschneiden jedoch etwas möglicherweise äußerst Nützliches zum Vorschein bringt: eine Feile.

Nils Holgersson wird einmal vom Vater gezwungen, im Evangelienbuch zu lesen, weil er nicht in die Kirche mitkommen will. „'Gib wohl acht, daß Du ordentlich liest! Wenn wir zurückkommen, werde ich dich über jede Seite ausfragen, und wenn du etwas übergangen hast, geht es dir schlecht.' ‚Die Predigt hat vierzehn und eine halbe Seite', sagte die Mutter, als wollte sie das Maß feststellen. ‚Du mußt dich gleich daran machen, wenn du fertig werden willst.' Damit gingen sie endlich, und als der Junge unter der Tür stand und ihnen nachsah, war ihm, als sei er in einer Falle gefangen worden."[4] Nils beginnt zu lesen, aber er kann sich nicht wach halten, er schläft ob der Schriftlektüre ein und – erlebt die wundersamsten Abenteuer ...

---

[3] Heinz Flügel: Gesichtspunkte der Literatur, in: Hans Jürgen Schultz (Hg.): Wer ist das eigentlich – Gott?, Frankfurt am Main 1979, S. 47.

[4] Selma Lagerlöf: Nils Holgerssons schönste Abenteuer mit den Wildgänsen, München 1974, S. 6.

Kapitel 1

‚Neulich hat Gott die Welt entdeckt' – Hochhuth und die Religion

Es besteht kein Zweifel: Der 20. Februar 1963 – der Tag der Berliner Uraufführung von Rolf Hochhuths ‚Der Stellvertreter' im Theater am Kurfürstendamm unter der Regie von Erwin Piscator – markiert ein kirchengeschichtliches Datum. Es ist jener Tag, von dem an die Legende von der „lückenlosen Geschlossenheit und sieghaften Widerstandskraft"[5] des Katholizismus während der Nazi-Ära sich in Luft aufzulösen beginnt.

Seit dem Wiener Kongreß 1815 gibt es deutsche Konkordatspläne. Mit Beginn der Weimarer Republik werden jahrelang Verhandlungen geführt, die am Widerstand von Liberalen, Protestanten und Sozialdemokraten scheitern. Als Adolf Hitler nach einem Konkordat für Gesamtdeutschland ruft, spielt die katholische Kirche ohne Bedenken mit. Kardinal Bertram läßt in einem Hirtenbrief begleitend zu den Verhandlungen verlaut-

[5] Hirtenbrief des deutschen Episkopates. Fulda, 3. Juni 1933, in: Bernhard Stasiewski (Hg.): Akten deutscher Bischöfe über die Lage der Kirche 1933-1945, Bd. 1, Mainz 1968, S. 241.

baren, daß es den Katholiken keineswegs schwerfalle, „die neue, starke Betonung der Autorität im deutschen Staatswesen zu würdigen und uns mit jener Bereitschaft ihr zu unterwerfen, die sich nicht nur als eine natürliche Tugend, sondern wiederum als eine übernatürliche kennzeichnet, weil wir in jeder menschlichen Obrigkeit einen Abglanz der göttlichen Herrschaft und eine Teilnahme an der ewigen Autorität Gottes erblicken"[6]. Das Reichskonkordat wird dank des Verhandlungsgeschicks des Kardinalstaatssekretärs Eugenio Pacelli sowie des Vizekanzlers Franz von Papen innerhalb weniger Wochen formuliert und am 20. Juli 1933 in der Vatikanstadt unterzeichnet.

Der schnelle Abschluß des Reichskonkordats bedeutet für Hitler einen entscheidenden Schritt auf dem Weg zum Ermächtigungsgesetz. Zunächst bezweckt es – durch die ‚Entpolitisierungsklausel' in Artikel 32 – die nachhaltige Ausschaltung der Zentrumspartei, dem einzig nennenswerten parteipolitischen Widerstandspotential zur damaligen Zeit. Weiters führt das Abkommen zwischen dem Heiligen Stuhl und dem Deutschen Reich zu einer vollständigen Lähmung des katholischen Widerstandes und zum Überwechseln eines Großteils des katholischen Lagers ins nationalsozialistische. Der Anti-Bolschewismus macht Pius XI. blind für die weiteren Absichten des angehenden Diktators.

Für Hitler ist aber vor allem eines bedeutsam: Der Pakt mit dem ältesten Souverän Europas bringt seinem Regime einen enormen innen- wie außenpolitischen Prestigezuwachs, er hat Hitler „urbi et orbi salonfähig gemacht"[7]. Das Reichskonkordat gibt das Entwarnungssignal für die zum Widerstand bereiten Katholiken wie Staatsmänner der ganzen Welt. Selbst der ‚Völkische Beobachter' triumphiert über die Anerkennung des jungen Reiches durch die zweitausendjährige Macht der Kirche. In der Reichstagserklärung proklamiert Hitler, die nationale Regierung sehe „in den beiden christlichen Konfessionen wichtigste Faktoren der Erhaltung unseres Volks-

[6] Hirtenbrief des deutschen Episkopates. Fulda, 3. Juni 1933, in: Bernhard Stasiewski (Hg.): Akten (1968), a. a. O. S. 241.

[7] Rolf Hochhuth: Der Stellvertreter. Ein christliches Trauerspiel, Reinbek bei Hamburg 1995, S. 96.

tums."[8] Und was einem besonders zu denken geben muß: Das Reichskonkordat ist – bekräftigt durch das Urteil des Karlsruher Bundesverfassungsgerichts von 1957 – bis dato in Kraft.

Summarisch betrachtet hat der Heilige Stuhl mit Napoleon 1801, mit Mussolini 1929, mit Hitler 1933, mit Franco 1953, also mit Ausnahme Stalins mit allen Massenmördern der Neuzeit Verträge geschlossen. Das kirchengeschichtliche Diktum ‚Historia concordatorum historia dolorum' bekommt auf diese Weise eine bedrückend wahre Bedeutung.

Doch der Pontifex maximus besinnt sich auf die Grundwerte des Katholischen: Am 14. März 1937 zeichnet er die Enzyklika ‚Mit brennender Sorge', ein Zeugnis echten Widerstands. Das geheim gedruckte Rundschreiben wird den einzelnen Diözesen durch Sonderkuriere zugestellt, um eine vorzeitige Beschlagnahmung durch die NS-Zensur zu verhindern. Die – auch ohne Namen zu nennen – klaren Worte des Pius XI. treffen den Nerv der totalitären Herrscher, wie die überaus scharfe Reaktion beweist. Eine solche Ehre wird keiner der Schriften oder Reden Pius XII. je zuteil.

Pius XI. zeiht das nationalsozialistische Regime mutig der „Machenschaften, die von Anfang an kein anderes Ziel kannten als den Vernichtungskampf"[9]. Wenn hier von „willkürlichen ‚Offenbarungen', die gewisse Wortführer der Gegenwart aus dem sogenannten Mythus von Blut und Rasse herleiten wollen"[10] die Rede ist, so kann man davon ausgehen, daß jeder Hörer dieser Worte damals wußte, wer und was gemeint ist. Der schicksalhaften Voraussage in einer klassischen Tragödie gleich insistiert der Heilige Stuhl, er wolle nicht „durch unzeitgemäßes Schweigen mitschuldig werden"[11] – und wird es doch.

---

[8] Aus der Regierungserklärung Hitlers vom 23.3.1933, in: Hans Müller (Hg.): Katholische Kirche und Nationalsozialismus, München 1965, S. 83.

[9] Simon Hirt (Hg.): Mit brennender Sorge. Das päpstliche Rundschreiben gegen den Nationalsozialismus und seine Folgen in Deutschland, Freiburg im Breisgau 1946, S. 2.

[10] Simon Hirt (Hg.): Mit brennender Sorge (1946), a. a. O, S. 7 f.

[11] Simon Hirt (Hg.): Mit brennender Sorge (1946), a. a. O, S. 23.

In diese bis dahin fast unberührte Wunde der katholischen Mitschuld reibt das Drama ‚Der Stellvertreter' des schriftstellerischen Greenhorns Rolf Hochhuth Fässer von Salz. Mit einem Stück, dessen Aufführungsdauer ungekürzt wohl an die 10 Stunden dauern würde, macht sich dieser schlagartig zum umstrittensten Autor der internationalen Schaubühne. Es folgen Protestkundgebungen hier und Preisverleihungen dort. Ludwig Erhard schimpft ihn einen „Pinscher"[12], Helmut Kohl meint gar, sich beim Papst für diesen nationalen Schandfleck entschuldigen zu müssen.

Jahrzehntelang haben Gegner wie Befürworter den ‚Stellvertreter' für ein Anti-Papst-Stück gehalten. Die Empörung wie die Einigkeit darüber, daß hier der schweigende Pius XII. der Mitschuld an den nazistischen Verbrechen bezichtigt wird, hat die Kritiker vor Hochhuths Einsicht in das eigentlich Empörenswerte gerettet: daß kein Gott geholfen hat. ‚Der Stellvertreter' handelt von beidem: daß es kein Zeichen gab – vom Papst, und daß kein Wunder geschah – durch einen Gott. Hochhuths Stück ist eine Phänomenologie des kirchlichen und – göttlichen Schweigens. Seine Arbeit steht unter dem unideologischen Pathos der Umordnung. In dem Maße wie ihm die Verbesserung des Menschlichen – ja selbst des Göttlichen – ein Anliegen ist, erweist er auch deren Unmöglichkeit.

Zur literarischen Positionierung des ‚Stellvertreters' soll in ein paar Strichen das atmosphärische Umfeld angedeutet werden, in das hinein Hochhuth diesen Paukenschlag plaziert. Der deutsch-österreichische Kulturbetrieb nach 1945 zeichnet sich aus durch ein schier endloses Revue- und Entertainment-Programm. Die medial inszenierte Ausblendung der unmittelbar vergangenen Verbrechenswirklichkeit ist Abbild der bürgerlichen Sehnsucht nach Wiederherstellung deutscher Gemütlichkeit. Amüsement als Ausstieg aus der Geschichte hilft, offene Fragen fernzuhalten. Kultur wie Publikum üben sich in bewußtem Vergessen einer störenden Vergangenheit. Jegliches Ausscheren aus diesem inoffiziellen Übereinkommen muß folglich als Nestbeschmutzung empfunden und verunglimpft werden.

---

[12] Ludwig Erhard über Hochhuth, in: Reinhart Hoffmeister (Hg.): Hochhuth (1980), a. a. O, S. 88.

Gefühlsmäßig ergreifen läßt man sich vorzugsweise von vorwurfsfreier Unterhaltung wie Romy Schneiders Sissi-Trilogie. Mit der deutschen Fassung des ‚Tagebuchs der Anne Frank' beginnt jedoch 1950 allen Verdrängungsbemühungen zum Trotz der unliebsame Einbruch der Geschichte. Wie wenig man damals noch mit einem solchen Stück anzufangen weiß, zeigt die Reaktion einer Frau, die das Anne-Frank-Stück gerade gesehen hat: „Dieses Mädchen wenigstens hätte man verschonen sollen."[13]

Noch 1961 nennt Max Frischs ‚Andorra' nichts beim Namen und kommt über eine parabelhafte Allgemeinheit nicht hinaus. Die erste empfindliche Störung der deutschen Heimatfilmromantik ereignet sich 1961 mit dem Jerusalemer Eichmann-Prozeß, dem Vorbeben gewissermaßen zu jenem Erstlingswerk, das den Papst nicht mehr katholisch sein läßt.

Das Macbethsche Diktum ‚A deed cannot be undone' trifft mit aller Härte auf das unveränderliche Geschehen-sein des Verbrechens zu, nicht aber auf dessen Bewertung. Moralisch ist eine Tat umkehrbar, durch Reue, durch Verzeihen. Hochhuth würde ergänzen: durch Verfälschung, „denn der Sieger ist es, der die Geschichte schreibt."[14] Aber nicht nur Taten sind Gegenstand der Betrachtung – und hier leistet Hochhuth eine epochale ethische Präzisierung –, sondern auch Unterlassungen wie Schweigen und Nichtstun.

1.1 ‚Nichts ist so erschütternd wie Schweigen'

Ich glaub an die Sonne, auch wenn sie nicht scheint. Ich glaube an die Liebe, auch wenn ich sie nicht fühle. Ich glaube an Gott, auch wenn er schweigt.

Schrift auf einer Kellerwand in Köln, wo sich einige
Juden während des Krieges versteckt hielten

[13] Reinhard Baumgart: Unmenschlichkeit beschrieben. Weltkrieg und Faschismus in der Literatur, in: Rudolf Wolff (Hg.): Rolf Hochhuth. Werk und Wirkung, Bonn 1987, S. 119.

[14] Rolf Hochhuth: Alan Turing, in: ders.: Panik im Mai. Sämtliche Gedichte und Erzählungen, Reinbek bei Hamburg 1991, S. 620.

„Hier, auf dieser Welt, machte Bonze Schweigs Tod gar keinen Eindruck. Kein Mensch weiß, wer Bonze war, wie er lebte und woran er starb."[15] Selbst der Tod eines Trambahnpferds hätte mehr Aufsehen erregt. Und auch im Leben hinterließ Bonze Schweig keine Spuren, kein Gedächtnis behielt ihn, keine Erinnerung an ihn blieb. Selbst der Totengräber wußte nach drei Tagen nicht mehr, wo er ihn bestattet hatte. Was blieb, war, daß sein Name und Leben vergessen wurden. Schweigend ertrug er zeitlebens schwerste Arbeit, Leid, Niedertracht. Er schwieg, als er mit dreizehn Jahren seine Mutter verlor, er schwieg, wenn sein betrunkener Vater ihn mißhandelte, von Hunger geplagt – schwieg er. „Sein Name paßte ihm wie ein Kleid aus eines Künstlers Hand auf einen schlanken Leib. [...] Er schwieg im Todeskampfe, er schwieg im Sterben. Nicht ein Wort gegen Gott, nicht ein Wort gegen die Menschen!"[16] In der anderen Welt aber herrschte hellste Aufregung unter den Engeln und Urvätern, als Bonze starb und auferstand. Das göttliche Gericht entschied, daß er sich nehmen könne, was er wolle. Wegen seiner schweigenden Güte sollte ihm nun alles zustehen. Erst nach mehrmaligem Rückfragen, ob denn dies wirklich ernst gemeint sei, rang er sich zu einer Antwort durch: „‚Nun, wenn es so ist', lächelt Bonze, ‚so möcht' ich jeden Morgen eine warme Semmel mit frischer Butter!'"[17]

Wir schreiben heute[18] das Jahr 36 nach Erscheinen von Rolf Hochhuths ‚Der Stellvertreter'. Ohne Übertreibung kann man sagen, daß dieses Werk der Auftakt für die Vergangenheitsbewältigung in der deutschsprachigen Literatur war. In Basel müssen 1963 zweihundert Polizisten das Theater gegen den Ansturm von tausenden Demonstranten schützen, in Bern gibt es Bombendrohungen, in Zürich wird die Aufführung gleich im voraus verboten, ebenso in Italien, Spanien und Brasilien. In Paris entwickelt sich während der Vorstellung eine Schlägerei, bei der auch der Papst-Darsteller verletzt wird. Ein Spiegel-Bericht versucht die Pariser Stimmung einzufangen: „Das Wutgeschrei (‚Unverschämtheit', ‚gemeine Lüge', ‚dreckiges

---

[15] Isaak Leib Perez: Leben sollst du. Ostjüdische Erzählungen mit Bildern von Marc Chagall, Freiburg im Breisgau 1993, S. 15.

[16] Isaak Leib Perez: Leben (1993), a. a. O, S. 20 u. 25.

[17] Isaak Leib Perez: Leben (1993), a. a. O, S. 27.

[18] 1999.

Schwein‘) schwoll an, der Flugblatt-Regen [...] wurde zur Traufe, Stinkbomben fielen, Tomaten flogen, faule Eier klatschten, im Vestibül trampelten und johlten die Demonstranten [...] und es nützte auch nichts, daß der Theaterpapst mit segnender Geste an die Rampe trat und sein Publikum beschwor: ‚Ich bitte Sie, ich übe hier doch nur mein Handwerk aus.‘“[19] – Ein unvorstellbares Szenario, heute, in Zeiten der totalen Verblüffungsresistenz gegenüber künstlerischem Schaffen.

Bereits vor der Premiere werden von der katholischen Presse Textauszüge veröffentlicht und verketzert. Kardinal Montini, der spätere Paul VI., wirft Hochhuth vor, er versuche, „die gräßlichen Verbrechen des deutschen Nazismus auf einen Papst abzuwälzen“[20]. Wilhelm Grenzmann sieht die letzte Antriebskraft des Stückes in blindem Haß gegen Pius XII. und die Kirche, denn „was der Autor an unsympathischen Zügen zusammentragen kann, ist auf die Gestalt des Papstes abgeladen“[21]. Ebenso sieht Robert Leiber Hochhuth „von einem leidenschaftlichen, fast krankhaften Widerwillen gegen Pius XII. erfüllt.“[22] Ein anderer meint gar, in Hochhuths Stück „den alten geschmacklosen primitiven Kirchenhaß Hitlers unter neuem Vorzeichen erkennen zu können.“[23]

Katholische Stimmen konstatieren beinahe einhellig, daß Pius XII. nicht nur Opfer Hochhuthscher Blasphemie, sondern auch „im historischen Sinne selber ein Opfer war.“[24] Seltenheitswert haben Kommentare des Zuschnitts einer Christa Schwens in einer katholischen Dortmunder Studen-

[19] Der ‚Stellvertreter‘ im Ausland, in: Reinhart Hoffmeister (Hg.): Hochhuth (1980), a. a. O., S. 72.

[20] Kardinal Montini: Brief an die englische Wochenzeitschrift ‚The Tablet‘, in: Reinhart Hoffmeister (Hg.): Hochhuth (1980), a. a. O, S. 44.

[21] Wilhelm Grenzmann: Blinder Haß auf Pius XII., in: Fritz J. Raddatz (Hg.): Summa iniuria (1963), a. a. O, S. 77.

[22] Robert Leiber: Der Papst und die Verfolgung der Juden, in: Fritz J. Raddatz (Hg.): Summa iniuria (1963), a. a. O, S. 102.

[23] Karl Görsch: Betr.: Hochhuths ‚Der Stellvertreter‘, in: Fritz J. Raddatz (Hg.): Summa iniuria (1963), a. a. O, S. 228.

[24] Wilhelm Alff: Richtige Einzelheiten – verfehltes Gesamtbild, in: Fritz J. Raddatz (Hg.): Summa iniuria (1963), a. a. O, S. 132.

tenzeitschrift, wo es heißt: „Das Besondere liegt darin, daß die Kirche einen von Christus die ganze Welt umfassenden Auftrag bekommen hat. – Wenn der Autor durch seine ‚christliche Tragödie' hilft, diese Aufgabe in uns wieder lebendig zu machen, weil er darum weiß oder weil er sogar daran glaubt, so müssen wir ihm danken – auch für den aufgezeigten, verfehlten Weg."[25] In der Tat fällt ja Hochhuths Kritik an Pius XII. deshalb so scharf aus, weil er ihm so Großes zutrauen möchte. Käme das römische Amt für eine weltbewegende Aufgabe von vornherein nicht in Betracht, was hätte er sich dann empören sollen?

Hannah Arendt erwähnt eine denkwürdige Begebenheit mit Johannes XXIII.: „In den Monaten vor seinem Tode gab man ihm Hochhuths Stellvertreter zu lesen und fragte ihn dann, was man dagegen tun könne. Worauf er geantwortet haben soll: ‚Dagegen tun? Was kann man gegen die Wahrheit tun?'"[26]

Auf protestantischer Seite bedauert Helmut Gollwitzer, daß von den Katholiken zwar Entrüstung, Verteidigung und Selbstrechtfertigung zu hören seien, aber keine Entschuldigung. Seines Erachtens hätte „der Papst als oberster Vertreter einer christlichen Kirche [...] den Mund auftun müssen, 1. um zu schreien für die Verfolgten, denen der Mund verschlossen war, 2. um alle Katholiken – und darüber hin aus alle Menschen – zu warnen vor der Beteiligung an den Untaten und zu mahnen zu jeder nur möglichen Hilfeleistung."[27] Ebenso nimmt Probst Heinrich Grüber das Stück zum Anlaß, um zu betonen, daß jeder bei seiner eigenen Schuld anfangen

[25] Christa Schwens: ‚Verhärten Sie sich nicht, Sie vereinfachen!', in: Fritz J. Raddatz (Hg.): Summa iniuria (1963), a. a. O, S. 63.

[26] Hannah Arendt: Beitrag für ‚The New York Review', in: Reinhart Hoffmeister (Hg.): Hochhuth (1980), a. a. O, S. 32.

[27] Helmut Gollwitzer: Darf der Papst schweigen?, in: Fritz J. Raddatz (Hg.): Summa iniuria (1963), a. a. O, S. 207.

müsse, jedoch läßt auch er in bezug auf Pius XII. keine Zweifel aufkommen: „Wer diplomatisch schweigt und sich schont, hat kein Recht, von der Nachfolge Jesu zu sprechen."[28]

Weiters führt der Tumult um den ‚Stellvertreter' zu einer Kleinen Anfrage an die Bundesregierung im Bundestag, bei deren Beantwortung Außenminister Schröder Pius XII. als einen Mann verteidigt, der „seine Stimme gegen die Rassenverfolgung im Dritten Reich erhoben und so viele Juden wie möglich dem Zugriff ihrer Verfolger entzogen"[29] und sich tatkräftig für die Aussöhnung Deutschlands mit den anderen Völkern eingesetzt habe. Hochhuths Stück stelle eine Herabsetzung des päpstlichen Andenkens dar und sei gerade von deutscher Seite besonders bedauerlich. Joachim Besser kommentiert Schröders Stellungnahme im Kölner Stadtanzeiger: „Politische Logik mag so aussehen: Wenn jemand nett zu mir war, darf ich über seine Schwächen oder Fehler nicht mehr reden."[30]

Um diesen gesellschaftlichen Impakt nachvollziehen zu können, scheint es sinnvoll, die Hauptaussagen des ‚Stellvertreters' noch einmal Revue passieren zu lassen: Der erste Akt, ‚Der Auftrag', ist überschrieben mit dem merkwürdigen Bernard-Shaw-Zitat ‚Hüte dich vor dem Menschen, dessen Gott im Himmel ist' und spielt 1942 in der Berliner Apostolischen Nuntiatur, wo ein Disput zwischen dem jungen Jesuitenpater Riccardo Fontana, einer frei erfundenen Figur, und dem Nuntius Cesare Orsenigo, einer historischen Figur, vom Auftritt des ebenfalls historischen Gerstein unterbrochen wird.

Der gläubige Protestant Dipl. Ing. Kurt Gerstein tritt 1941 in die SS ein, wo er vom Bergassessor zum Oberleutnant avanciert und schließlich Leiter der Abteilung für Desinfektionsgase des SS-Gesundheitsamtes wird. Unter

[28] Heinrich Grüber: ‚Entscheidend ist, was ausgesprochen wird.', in: Reinhart Hoffmeister (Hg.): Hochhuth (1980), a. a. O, S. 29.
[29] Die ‚Kleine Anfrage im Bundestag', in: Reinhart Hoffmeister (Hg.): Hochhuth (1980), a. a. O, S. 59.
[30] Joachim Besser: Schröder als Vormund, in: Fritz J. Raddatz (Hg.): Summa iniuria (1963), a. a. O., S. 233.

dieser Tarnung ist es ihm möglich, Sabotageakte durchzuführen sowie detaillierte Informationen über das Innenleben der Konzentrationslager nach draußen zu schleusen. Gerstein, innerlich zutiefst aufgewühlt von den Geschehnissen in den Lagern, ist überzeugt, daß durch das Bekanntwerden seiner Schilderungen das Ausland und selbst das deutsche Volk dem Hitler-Regime ein Ende machen würden. In seinem ‚Augenzeugenbericht zu den Massenvergasungen' findet sich folgende Notiz einer Begebenheit des Jahres 1942: „Ich versuchte in gleicher Sache [die NS-Massenmorde betreffend, G.R.] dem Päpstlichen Nuntius in Berlin Bericht zu erstatten. Dort wurde ich gefragt, ob ich Soldat sei. Daraufhin wurde jede weitere Unterhaltung mit mir abgelehnt, und ich wurde zum Verlassen der Botschaft Seiner Heiligkeit aufgefordert."[31]

Hochhuth formt diesen historischen Stoff zu einem tragischen Dialog innerhalb der Exposition: „*Gerstein*: […] Der Vatikan muß helfen, Exzellenz! / Nur er allein / kann hier noch helfen, helfen Sie! / *Nuntius* (empört, da er ratlos ist): / Was kommen Sie zu mir? Sie tragen / doch selbst die Uniform der Mörder! / Ich sage Ihnen doch, ich bin nicht zuständig. / *Gerstein* (schreit): Zuständig! Sie vertreten in Berlin den / – den Stellvertreter Christi und – / verschließen Ihre Augen vor dem Entsetzlichsten – / was je der Mensch dem Menschen angetan hat. / Sie schweigen, während stündlich … / *Nuntius*: Mäßigen Sie sich, schreien Sie – hier nicht, / ich breche das Gespräch jetzt ab …"[32]

Riccardo Fontana, bewegt vom Mut Gersteins, besucht diesen in seiner Wohnung, wo er das fatale Versprechen gibt: „Ich garantiere Ihnen, Herr Gerstein, / daß Seine Heiligkeit Protest erheben wird."[33] Riccardo überläßt seine Soutane und seinen Paß einem von Gerstein versteckt gehaltenen Juden namens Jacobson, damit dieser über den Brenner fliehen kann. Als symbolischen Dank gibt ihm Jacobson dafür die letzte Habe: seinen Paß mit fettgedrucktem „J" und den gelben Stern.

[31] Kurt Gerstein: Augenzeugenbericht zu den Massenvergasungen (1945), in: Vierteljahrshefte für Zeitgeschichte, 1. Jg., Stuttgart 1953, S. 192.
[32] Rolf Hochhuth: Stellvertreter (1995), a. a. O, S. 23.
[33] Rolf Hochhuth: Stellvertreter (1995), a. a. O, S. 61.

‚Die Glocken von St. Peter' ist der zweite Akt überschrieben und spielt in Rom im Februar 1943. Der heimgekehrte Riccardo hält seinem Vater, dem Grafen Fontana, Syndikus beim Heiligen Stuhl, in einer Debatte entgegen: „So ist es doch: der Papst / sieht weg, wenn man in Deutschland / seinen Bruder totschlägt. Priester, die sich / dort opfern, handeln nicht auf Geheiß / des Vatikans – sie verstoßen eher / gegen sein Prinzip der Nichteinmischung."[34] Hochhuth paraphrasiert hier einen Gedanken des österreichischen Historikers Friedrich Heer: „Geistliche und Laien, Priester und politische Menschen, die den Widerstand zu denken und zu praktizieren wagten, hatten weder im Gefängnis noch vor dem Schafott auf die Anteilnahme ihrer kirchlichen Führung zu rechnen. Der christliche Widerstand gegen Hitler [...] trug dergestalt naturgemäß von Anfang an den Charakter des Singulären, des Außergewöhnlichen, des Unerwünschten, des ‚Ungehorsams'."[35]

Die Entsolidarisierung der Amtskirche gegenüber dem Engagement des politischen Katholizismus lag formal in der Entpolitisierungsklausel des Reichskonkordats begründet, de facto aber fehlte es wohl auch an der nötigen Courage. Ein Pontifikat, das – bestens informiert über die Vorgänge in den Konzentrationslagern – sich 1943 in Traktaten über den ‚mystischen Leib der Kirche'[36] ergeht und sich noch 1944 in Instruktionen und Dekreten mit der ‚Generalabsolution'[37] und den ‚Zwecken der Ehe'[38] beschäftigt, muß sich Fragen bezüglich seiner Zeitgemäßheit und moralischen Integrität gefallen lassen.

Der Vater aber hält Riccardo entgegen: „Wie du vereinfachst – Herrgott, / glaubst du denn, der Papst / könnte nur einen Menschen / hungern und leiden sehen. / Sein Herz ist bei den Opfern. / *Riccardo*: Und seine Stimme? Wo ist seine Stimme! / Sein Herz, Vater – ist völlig unin-

[34] Rolf Hochhuth: Stellvertreter (1995), a. a. O, S. 80.

[35] Friedrich Heer: Die Deutschen, der Nationalsozialismus und die Gegenwart, in: Die neue Gesellschaft, 7. Jg., Bielefeld 1960, S. 173.

[36] Vgl. Enzyklika ‚Mystici corporis' vom 29. Juni 1943.

[37] Vgl. Instruktion der Hl. Pönitentiarie vom 25. März 1944.

[38] Vgl. Dekret des Hl. Offiziums vom 29. März 1944.

teressant."[39] Von der Gleichgültigkeit des Vaters provoziert formuliert nun Riccardo in skandalöser Schärfe seinen Vorwurf – auf den im übrigen die Hochhuth-Kritiker das gesamte Stück reduzieren: „Ein Stellvertreter Christi, der das / vor Augen hat und dennoch schweigt, aus Staatsräson, / der sich nur einen Tag besinnt, / nur eine Stunde zögert, / die Stimme seines Schmerzes zu erheben / zu einem Fluch, der noch den letzten Menschen / dieser Erde erschauern läßt –: ein solcher Papst / ist … ein Verbrecher."[40]

Diese These vertritt Hochhuth auch persönlich. In der Hamburger ‚Welt' schreibt er als ‚Entgegnung auf Albrecht v. Kessel': „Es bleibt dabei: Nimmt man die Kirche ernst, mißt man ihre Wirklichkeit an ihrem eigenen Anspruch, so war das Schweigen des Papstes ein Verbrechen."[41] Unter Berufung auf den Historiker Gerald Reitlinger vermutet Hochhuth, daß Pius XII. schon deshalb weder einen Protest, die Aufkündigung des Reichskonkordats noch die Exkommunikation des Katholiken Hitler erwogen hat, weil die Opfer überwiegend Juden waren. Daß der Vatikan jüdischen Opfern, deren Schicksal er an der Wurzel verhindern hätte können, auch Hilfe zukommen ließ, übergeht Hochhuth jedoch keineswegs. Im historischen Anhang heißt es: „Die meisten italienischen Juden haben sich rechtzeitig nach Süden, zu den amerikanischen Truppen, geflüchtet. Von den päpstlichen Hilfswerken hat das St.-Raphaels-Werk 1500 Juden die Auswanderung nach Amerika vermittelt, 4000 wurden in Klöstern versteckt."[42] Dennoch resümiert er: „Vielleicht haben niemals zuvor in der Geschichte so viele Menschen die Passivität eines einzigen Politikers mit dem Leben bezahlt."[43]

[39] Rolf Hochhuth: Stellvertreter (1995), a. a. O., S. 82.
[40] Rolf Hochhuth: Stellvertreter (1995), a. a. O., S. 83.
[41] Rolf Hochhuth: Eine Entgegnung auf Albrecht v., in: Fritz J. Raddatz (Hg.): Summa iniuria oder Durfte der Papst schweigen? Hochhuths ‚Stellvertreter' in der öffentlichen Kritik, Reinbek bei Hamburg 1963, S. 174.
[42] Rolf Hochhuth: Stellvertreter (1995), a. a. O., S. 257.
[43] Rolf Hochhuth: Stellvertreter (1995), a. a. O., S. 241.

Die Frage, die sich Riccardo bezüglich des Stellvertreters Christi aufdrängt, nämlich: „Hätte Christus sich entzogen?“[44], nimmt ihn nun existentiell gefangen. Denn: „Nichts tun – das ist so schlimm / wie mittun.“[45] Die skandalöse Diskrepanz ergibt sich sodann aus der katholischen ‚Vergangenheitsbewältigung‘: Es wurde nichts getan, als die Glaubensbrüder vor den Toren des Vatikan verhaftet und zur Ermordung abtransportiert wurden – alles aber wurde getan, um nach 1945 jede Schuld von sich zu weisen. Nach dem Bruder gefragt, antwortet die katholische Kirche wie Kain: ‚Bin ich denn der Hüter meines Bruders?‘

Selbst noch 1998 wird diese Haltung der Kirche bestätigt durch die erneute Schuldzurückweisung in dem vatikanischen Dokument ‚Wir erinnern: Eine Reflexion über die Shoah‘ vom 12. März 1998. Elf Jahre hat die ‚Päpstliche Kommission für die religiösen Beziehungen zu den Juden‘ gebraucht, um anstelle des erwarteten Schuldeingeständnisses eine versteckte Exkulpation Pius XII. vorzulegen: „Während des Krieges und danach brachten jüdische Gemeinden und Persönlichkeiten ihre Dankbarkeit für all das zum Ausdruck, was für sie getan worden war, auch dafür, was Papst Pius XII. persönlich und durch seine Vertreter unternommen hatte, um hunderttausenden [sic!] von Juden das Leben zu retten“[46]. Daran angehängt folgt eine überdimensionale Fußnote, die das einhellige jüdische Lob der selbstlosen Hilfe Pius XII. belegen soll.

Ein bitter erregter Rolf Hochhuth kommentiert: „Es ist eine ungeheure Lüge, wenn jetzt der Vatikan – was er bisher niemals getan hat! – behauptet, ‚Hunderttausende von Juden gerettet‘ zu haben. [...] Warum bleibt der Vatikan nicht bei seiner bisherigen (und ehrlichen!) Aussage, einige hundert Juden (aber nicht hunderttausend!), einige Dutzend Judenfamilien in Klöstern versteckt zu haben?“[47]

---

[44] Rolf Hochhuth: Stellvertreter (1995), a. a. O., S. 86.

[45] Rolf Hochhuth: Stellvertreter (1995), a. a. O., S. 124.

[46] Päpstliche Kommission für die religiösen Beziehungen zu den Juden: Wir erinnern: Eine Reflexion über die Shoah, http://www.kath.de/sdbk/presse/sd980324.htm, 30.03.1998.

[47] Rolf Hochhuth: Eine ungeheure Lüge, in: Die Zeit, Nr. 13, Hamburg 19.03.1998, S. 9.

Als das Dokument bei den jüdischen Vertretern eine durchwegs negative Aufnahme findet – der israelische Oberrabbiner Israel Meir Lau etwa zeigt sich bestürzt über die sehr allgemein gehaltenen Formulierungen –, hat der päpstliche Haustheologe Georges Cottier die Stirn zu behaupten, das Schreiben sei falsch gelesen worden. Sicher falsch ist die Darstellung in dem Dokument, daß das Christentum lediglich Inspirationsquelle für den Antijudaismus, nicht aber für den Antisemitismus gewesen sei, denn der Nationalsozialismus war zwar „keine christliche Ideologie, aber sie wurde von christlich Sozialisierten ersonnen, gelebt – und exekutiert."[48]

Der dritte Akt ‚Die Heimsuchung' spielt in Rom im Oktober 1943. Aus einer Wohnung gegenüber dem Päpstlichen Palast, „sozusagen unter den Fenstern des Papstes"[49], wird eine jüdische Familie von der Waffen-SS abgeholt. Für Egon Schwarz gehört diese Szene „zu den ergreifendsten Darstellungen jüdischen Schicksals in der Nachkriegsliteratur. [...] Allein um dieser Szene willen verdient ‚Der Stellvertreter', ein Kunstwerk genannt zu werden. Wer sie auf sich hat wirken lassen, der wird nicht mehr sonderlich an der Frage interessiert sein, ob der Papst gute oder weniger gute Gründe für sein Schweigen gehabt hat."[50]

Es folgt eine Unterredung zwischen Riccardo, Gerstein, dem Kardinal und einem Abt, in dessen Kloster Juden vor dem Zugriff der Nazi-Schergen bewahrt werden. Uneinigkeit besteht zwischen ihnen in bezug auf Riccardos Fragestellung: „Was tun wir / wenn der Papst nicht protestiert?"[51] Riccardo selbst entwickelt für diesen Fall die ultimative Sühnestrategie: das Martyrium anstelle des Stellvertreters, denn „das Schweigen des Papstes zugunsten

[48] Gudrun Harrer: Ein bedauernswertes Versagen, in: Der Standard, Wien 17.03.1998, S. 28.

[49] Rolf Hochhuth: Stellvertreter (1995), a. a. O., S. 101.

[50] Egon Schwarz: Rolf Hochhuths ‚Der Stellvertreter', in: Walter Hinck (Hg.): Rolf Hochhuth – Eingriff in die Zeitgeschichte. Essays zum Werk, Reinbek bei Hamburg 1981, S. 141.

[51] Rolf Hochhuth: Stellvertreter (1995), a. a. O., S. 123.

der Mörder / bürdet der Kirche eine Schuld auf, / die wir sühnen müssen. [...] so wird ein armer Priester ja zur Not / auch den Papst vertreten können"[52].

Der vierte Akt ist übertitelt mit ,Il Gran Rifiuto', zu deutsch ,Die große Verweigerung', ein Zitat aus dem dritten Gesang des ,Inferno' von Dante Alighieris ,Göttlicher Komödie'. Es kommt zu dem die gesamte katholische Welt irritierenden Auftritt seiner Heiligkeit selbst, des Pontifex Papa Pius XII. Von „brennender / Sorge um unsere Fabriken ererfüllt"[53] eröffnet dieser sogleich seine Erörterungen über die Besitztümer des damals angeblich größten Aktionärs der Welt, des Vatikan. Fast beiläufig erfolgt ein Schwenk auf ein Thema, das eben auch noch ansteht: „*Papst*: Um so taktloser, / daß die Deutschen / die Juden jetzt auch aus Rom verschleppen. / (Aufs höchste indigniert.) / Haben Sie davon gehört, Graf – Eminenz? / Es ist sehr ungezogen!"[54] Im weiteren offenbart Pius sein diplomatisches Kalkül, gipfelnd in den Worten: „Wenn wir schweigen, lieber Graf, / so schweigen wir auch / ad majora mala vitanda [um Schlimmeres zu verhindern, G.R.]."[55]

Auf Wilhelm Alffs Vorwurf, er habe aus „vorwiegend richtigen Quellen [...] ein falsches Bild"[56] gezeichnet, erwidert Hochhuth in der Frankfurter Allgemeinen Zeitung, daß die Stellvertreter-Diskussion lediglich zwei Dokumente zutage brachte, die er bei der Abfassung des Stücks noch nicht gekannt habe. Das eine ein Augenzeugenbericht des Historikers Kühner-Wolfskehl, der Hochhuths Thesen bestätigt, das andere ein „Brief Pius' XII. an den Berliner Bischof Graf Preysing vom 30. April 1943. Der Papst gibt die Weisung, die ,an Ort und Stelle tätigen Oberhirten' sollten selbst abwägen, ob und bis zu welchem Grad ,die Gefahr von Vergeltungsmaßnahmen und Druckmitteln im Falle bischöflicher Kundgebungen' es ratsam erscheinen lasse, ,ad majora mala vitanda, Zurückhaltung zu üben', da er

[52] Rolf Hochhuth: Stellvertreter (1995), a. a. O., S. 124.
[53] Rolf Hochhuth: Stellvertreter (1995), a. a. O., S. 155.
[54] Rolf Hochhuth: Stellvertreter (1995), a. a. O., S. 159.
[55] Rolf Hochhuth: Stellvertreter (1995), a. a. O., S. 161.
[56] Wilhelm Alff: Richtige Einzelheiten – verfehltes Gesamtbild, in: Fritz J. Raddatz (Hg.): Summa iniuria (1963), a. a. O., S. 132.

selbst 1942 schlechte Erfahrungen gemacht habe. Bei künftigen Inszenierungen werde ich dem Papst diese Sätze in den Mund legen.“[57] Laut Pater Robert Leiber, dem Sekretär Pacellis, hat der Papst geschwiegen, weil er ‚umfassender‘ dachte, im Interesse der Leidenden und um Schlimmeres zu verhüten. „Wie kann man das eigentlich noch sagen“, kommentiert Hochhuth, „da doch Schlimmeres als das Schlimmste, das geschah, die umfassendste Menschentreibjagd der abendländischen Geschichte, weiß Gott nicht vorstellbar ist.“[58]

Das leidenschaftliche Plädoyer des daraufhin auftretenden Riccardo für einen lautstarken und unzweideutigen Protest des Papstes gegen die Deportation und Ermordung der Juden veranlaßt den Papst zu der lapidaren Empfehlung: „Riccardo, / gehen Sie ein Vierteljahr nach Castelgandolfo, / ordnen Sie Unsere Bibliothek“[59]. Nachdem der Papst lediglich eine allgemeine Stellungnahme – ohne die konkreten Täter und Opfer beim Namen zu nennen – zu unterzeichnen bereit ist, heftet sich der bitter enttäuschte Riccardo vor dessen Augen den gelben Judenstern an die Soutane: „Ich werde diesen Stern so lange tragen, / bis Euer Heiligkeit vor aller Welt / den Mann verfluchen, der Europas / Juden viehisch ermordet.“[60] Gänzlich unbewegt die Reaktion des Papstes: „Non possumus. / Es kann und wird nicht sein, / daß wir an Hitler schreiben. […] Nun endlich Schluß damit, ad acta.“[61] Riccardo, der nun endgültig seinen Entschluß gefaßt hat, beendet resigniert den Dialog: „Gott soll die Kirche nicht verderben, / nur weil ein Papst sich seinem Ruf entzieht.“[62]

Man könnte meinen, es sei ein Paradoxon, ein Nichthandeln zur Haupthandlung eines Stücks zu machen. Zumindest müßte hierfür doch zurückgegriffen werden auf eine Inszenierung von Ödheit mindestens beckett-

[57] Rolf Hochhuth: Ein Gesamtbild gibt es nicht, in: Fritz J. Raddatz (Hg.): Summa iniuria (1963), a. a. O., S. 134 f.
[58] Rolf Hochhuth: Stellvertreter (1995), a. a. O., S. 260.
[59] Rolf Hochhuth: Stellvertreter (1995), a. a. O., S. 166.
[60] Rolf Hochhuth: Stellvertreter (1995), a. a. O., S. 174.
[61] Rolf Hochhuth: Stellvertreter (1995), a. a. O., S. 176.
[62] Rolf Hochhuth: Stellvertreter (1995), a. a. O., S. 176.

schen Ausmaßes. Weit gefehlt, denn der Skandal besteht nicht nur in der päpstlichen Indolenz, sondern darin, was er anstelle von Warnung oder Hilfe zu tun imstande war. Hochhuth zeigt anhand der Negativfolie des belanglosen Handelns Pius XII., was eigentlich zu tun gewesen wäre. Er erhob das Schweigen zu einer moralischen Kategorie: Das macht den ungeheuren moralischen Impetus dieses Autors aus.

Hochhuth wurde vorgeworfen, er hätte speziell die Figur des Papstes keine innere Entwicklung durchlaufen lassen. Dabei entspricht es voll und ganz dem wahren Leben, daß mit Pius XII. vom ersten bis zum letzten Tag ein mutloser Diplomat am Werke war, dessen einziger Veränderungsprozeß im physischen Altern bestand. Die entsetzliche Fehleinschätzung, daß der Bolschewismus gefährlicher sei als der Faschismus, hat er niemals revidiert. Es entspricht schlicht einer vorsätzlichen Verkehrung der Tatsachen, wenn kirchlicherseits geschrieben wurde: „Mit dem Tode Papst Pius' XII. verstummte eine Stimme, in der, wie der Erzbischof von Mailand, Mgr. Montini [später Papst Paul VI., G.R.], einmal sagte, ‚der Schrei des menschlichen Gewissens in schrecklichen und entscheidenden Stunden immer wieder seine Auslegung fand'."[63]

In gewissenloser Verehrung behauptet Alberto Giovannetti, Pius XII. hätte offenkundig die Heldentaten der Urkirche wiederholt. In der Tat finden sich merkwürdige Parallelen aus dem Frühchristentum, etwa bei dem Kirchenvater Ignatius, Bischof von Antiochien Anfang des zweiten Jahrhunderts. Auf seinem Weg von Syrien nach Rom zum Martertod durch wilde Tiere diktiert er sieben Briefe. In dem Brief an die Epheser formuliert er, was rund 1800 Jahre später Pius XII. als Lebensmotto gedient haben könnte: „Besser ist es zu schweigen und zu sein, als zu reden und nicht zu sein."[64] In seinem Brief an die Philadelphier lobt Ignatius den Gemeindebischof, der „schweigend mehr zustande bringt als die törichten Schwät-

[63] Alberto Giovannetti (Hg.): Der Papst spricht zur Kirche des Schweigens, Recklinghausen 1959, S. 5.

[64] Andreas Lindemann / Henning Paulsen: Die Apostolischen Väter, Tübingen 1992, S. 187.

zer."[65] Offenbar macht er hier die Not eines unsicheren Bischofs, der sich gegen Infragestellungen aus der Gemeinde nicht anders zu wehren weiß als durch Schweigen, zur Tugend. Allerdings läßt Ignatius keinen Zweifel daran, daß wer schweigt, um so mehr an seinem Handeln erkennbar sein muß. Ignatius kann dem Schweigen des Bischofs nur deshalb tiefe religiöse Bedeutung beimessen, weil er in seiner schweigenden Tat die laut redende Nachfolge Christi zu erkennen vermag, „auf daß er durch sein Wort wirke und durch sein Schweigen erkannt werde"[66]. In gnostischer Tradition sieht der Kirchenvater im philadelphischen Gemeindevorsteher ein Abbild des Schweigens Gottes. Der Bischof entspricht ganz Gott, denn Gott ist Schweigen.

Ignatius differenziert äußerst präzise zwischen Schweigen als Zurückhalten der Rede bzw. als Gesprächsabbruch etwa gegenüber Irrlehrern und Ketzern und dem Schweigen als andächtigem Verstummen vor dem Göttlichen. „Das antihäretische Verstummen und das angelologische Verschweigen sind nach Ignatius Zeichen eines unablässigen schweigenden Seins, das so wesentlich zum christlichen Leben hinzugehört wie das Hören und das Reden. Es ist von einem Kontinuum kirchlichen Schweigens zu reden, das das göttliche Schweigen abzubilden hat und als Ursprungsort lebendiger Rede und wirksamen Handelns angesehen werden muß."[67] Ignatius' seelsorgerlich motivierte Empfehlung des Schweigens resultiert wohl aus der Erfahrung uferloser theologischer Dispute, jener Vorläufer der heutigen Fernseh-Talkshows. Das von Ignatius propagierte Schweigen meint kein kommandiertes, betretenes oder verstocktes Schweigen, sondern vielmehr eine Erinnerung an die göttliche Ruhe des siebten Tages.

---

[65] Andreas Lindemann / Henning Paulsen: Väter (1992), a. a. O., S. 219.

[66] William R. Schoedel: Die Briefe des Ignatius von Antiochien. Ein Kommentar, München 1990, S. 145.

[67] Werner Bieder: Zur Deutung des kirchlichen Schweigens bei Ignatius von Antiochia, in: Theologische Zeitschrift, 12. Jg., Basel 1956, S. 37.

1.2 Kein Zeichen, kein Wunder

Büchner hat nicht gesagt: Gott ist tot; er teilt uns mit, woran Gott stirbt. Jeder Gott. Er stirbt daran, daß er nicht hilft.

Martin Walser

Der fünfte Akt mit dem Titel ‚Auschwitz oder Die Frage nach Gott' ist unserer Einschätzung nach der Schlüssel zum Verständnis des ‚Stellvertreters'. Diese Interpretation steht bewußt in Opposition zur mehrheitlich vertretenen Auffassung, daß Hochhuth hier ein Anti-Papst-Stück verfaßt habe, exemplarisch formuliert durch Wilhelm Grenzmann: „Der 4. Akt ist der Höhepunkt des Dramas; es ist nicht anders möglich: Um seinetwillen wurde das Schauspiel geschrieben. [...] Es ist zugleich der Höhepunkt der karikaturistischen Verzeichnung des Papstes und der Kurie; alles ist darauf angelegt zu beleidigen, zu schmähen und zu verhöhnen."[68] Es drängt sich die Frage auf, warum der Autor noch einen weiteren Akt geschrieben hat, wenn in den ersten vier bereits alles gesagt war. Will Hochhuth künstlich an der Fünfzahl des klassischen Dramenschemas festhalten, indem er den Inhalt auf vier Akte verteilt, formhalber aber einen fünften anhängt. Dies scheint um so unwahrscheinlicher, als sich Hochhuth bislang streng an die klassische Vorgabe gehalten hat: Gersteins Auftritt, als dem erregenden Moment der Exposition, folgt die steigende Handlung des zweiten Aktes, dann der Wendepunkt in der Krise des dritten Aktes: Riccardo entschließt sich, den zögerlichen Papst zu vertreten. Es schließt sich die fallende Handlung des vierten Aktes an mit dem Auftritt des Papstes, jener gigantischen Rechtfertigung des Schweigens. Und dann? Der Abschluß erfolgt nach Schema F, nämlich wie es das klassische Fünfaktermodell erwarten läßt: mit der Klimax – der Jesuit im Konzentrationslager – und der Katastrophe – daß kein Gott hilft.

[68] Wilhelm Grenzmann: Blinder Haß auf Pius XII., in: Fritz J. Raddatz (Hg.): Summa iniuria (1963), a. a. O., S. 74.

Auch wenn Hochhuth sein ‚Schauspiel' später zu einem ‚christlichen Trauerspiel' umtituliert, so haben wir es dennoch weniger mit einem bürgerlichen Trauerspiel als vielmehr mit einer neuen klassischen Tragödie zu tun, die sich beinahe strikt an die Aristotelischen Kategorien hält, nämlich die Darstellung menschlichen Leidens, das zu einem tragischen Ende führt. Hochhuth unternimmt im fünften Akt als erster in der Literaturgeschichte den Versuch, Auschwitz auf die Theaterbühne zu bringen. Allerdings ausdrücklich unter dem Vorbehalt, daß eine realistische Nachahmung der Wirklichkeit weder angestrebt noch möglich sei.

Riccardo, der sich in das Schicksal der römischen Juden begeben hat, wird von der diabolischen Gestalt des Doktors, der die Nicht-Existenz Gottes durch seine Untaten beweisen will, zum Krematoriumsdienst gezwungen. Das nihilistische Credo des Doktors – „Schöpfer, Schöpfung und Geschöpf / sind widerlegt durch Auschwitz."[69] – zerbricht letztlich auch Riccardos Glauben. Dem auftretenden Gerstein gesteht er weinend: „Seit einer Woche … / verbrenne ich zehn Stunden lang täglich Tote. / Und mit jedem Menschen, den ich verbrenne, / verbrennt ein Stück von meinem Glauben, / verbrennt Gott. / Leichen – ein Fließband mit Leichen, / ein Äserweg ohne Ende, die Geschichte … / Wüßte ich, daß – ER zusieht –, / (mit Ekel) ich müßte … IHN hassen."[70] Diese Zeilen gehören mit zu den aufwühlendsten der Literatur überhaupt.

Hochhuth denkt die Unverstehbarkeit Gottes neu. Gott ist für ihn unverstehbar, nicht wegen seiner Transzendenz, sondern wegen seiner Amoralität. Gottes Schuld angesichts Auschwitz besteht in seinem Nichteingreifen zugunsten der Geschundenen. Das Anprangern von Gottes Tatenlosigkeit trotz himmelschreienden Leids steht in gewisser Weise auch in alttestamentlicher Tradition. Das Flehen um Hilfe gegen die Feinde Israels findet sich ausdrucksstark etwa in Psalm 83,2: „O Gott, bleibe nicht

[69] Rolf Hochhuth: Stellvertreter (1995), a. a. O., S. 198.
[70] Rolf Hochhuth: Stellvertreter (1995), a. a. O., S. 215.

stumm! / Schweige nicht, o Gott, bleibe nicht ruhig!“[71] Den Psalmisten und Hochhuth trennen allerdings trotz der schriftstellerischen Ähnlichkeit die hieraus gezogenen Schlußfolgerungen: In alttestamentlichem Kontext stellt die Verborgenheit Gottes einen Ansporn dar, noch stärker zu hoffen und zu glauben, während sich diese Erfahrung in der europäischen Moderne als Hoffnungs- und Glaubensverlust niederschlägt.

In Fred Uhlmanns ‚wiedergefundenem Freund‘ etwa erzählt der Protagonist vom Brand eines Bauernhauses, bei dem drei Kleinkinder ums Leben kommen. Unmittelbar folgt dem Widerfahrnis von Leid eine theologische Reflexion: „Ich sah nur zwei Möglichkeiten: Entweder gab es keinen Gott. Wenn aber eine Gottheit existierte, so war sie ein allmächtiges Ungeheuer oder ein ohnmächtiger Nichtsnutz. Ein für allemal verwarf ich jeden Glauben an ein wohlwollendes höheres Wesen.“[72] Die Erfahrung des Schrecklichen geht wie in einer logischen Schlußoperation über in die Rebellion gegen die Abwesenheit eines Guten. Gott, der ohnmächtige Nichtsnutz, tut mal wieder nichts. Gott – an den man glaubt – ist wieder einmal nicht da, wenn man ihn braucht. In der Welt der Moderne gibt es keine solche Empörung mehr, an den Ort einer personalen Leerstelle tritt das Dauern der namenlosen, unerklärlichen Zeit. In der Sphäre unkämpferischer Religionslosigkeit mutet ein solches Ringen um ein letztes Verstehen fremd an: „‘Siehst du sie nicht brennen?‘ schrie ich. ‚Hörst du sie nicht schreien? Und du hast die Stirn, das zu rechtfertigen, nur weil du nicht den Mut hast, ohne Gott zu leben! Was nützt dir ein machtloser, gnadenloser Gott? Ein Gott, der in den Wolken sitzt und Malaria und Cholera, Hungersnot und Krieg zuläßt?‘“[73] – Hochhuth pflegt das Dynamit nicht an der Domspitze sondern unter dem tragenden Fundament anzubringen. Nicht der oberste Hüter der Moral, nein der Urgrund von Ethik und Gerechtigkeit war abwesend. Gott hat versagt: durch Inexistenz.

[71] Diego Arenhoevel / Alfons Deissler / Anton Vögtle (Hg.): Die Bibel. Die Heilige Schrift des Alten und des Neuen Bundes. Deutsche Ausgabe mit den Erläuterungen der Jerusalemer Bibel, Freiburg – Basel – Wien 1974, S. 782.

[72] Fred Uhlmann: Der wiedergefundene Freund, Zürich 1998, S. 47.

[73] Fred Uhlmann: Freund (1998), a. a. O., S. 48.

Nach Auschwitz bietet sich keine Versöhnungsmöglichkeit mit dem handlungsunfähigen Gott mehr, denn wer zu lange schweigt, der wird vergessen. Niemand hat diese Verlassenheitserfahrung so eindringlich verdichtet wie Nelly Sachs in ihrem Hiob-Gedicht:

> Deine Stimme ist stumm geworden,
> denn sie hat zuviel *Warum* gefragt.
>
> Zu den Würmern und Fischen ist deine Stimme eingegangen.
> Hiob, du hast alle Nachtwachen durchweint
> aber einmal wird das Sternbild deines Blutes
> alle aufgehenden Sonnen erbleichen lassen.[74]

Das Unfaßbare dieser Welt ist, daß Georg Elser ein einzelner und nicht Masse war, daß die Naturgesetze während Auschwitz intakt geblieben sind, daß die Sonne weiterhin aufging. Das Skandalon der Konzentrationslager ist auch das ausbleibende Wunder, das Ausbleiben jeglicher göttlichen Gerechtigkeit. Stumm wie Wurm und Fisch übergeht der Demiurg das Desaster seiner Schöpfung. Einem Gott, den es gäbe, müßten diese Worte von einer jüdischen Frau unendliche Scham bereiten.

‚Qui tacet, consentire videtur.' – Was vor gut siebenhundert Jahren Papst Bonifatius VIII. kirchenrechtlich festgeschrieben hat, liest sich heute wie eine Anklage: ‚Wer schweigt, scheint zuzustimmen.' Die kirchliche Amoralität bleibt im Vergleich zur göttlichen zwar sekundär, ist dafür aber um so greifbarer: Das vom römischen Amt praktizierte theologische ‚Business as usual' während der Massenvergasungen. Dennoch kann keiner dem Papst oder irgendeinem anderen Christen ernsthaft übelnehmen, daß er sich – aus welchen Gründen auch immer – nicht selbst in Lebensgefahr gebracht bzw. das Martyrium auf sich genommen hat, indem er Hitler und seinen Schergen die Stirn bot. Dem katholischen Milieu fehlte insgesamt die kritische Kraft, sich positiv von dem diktatorischen Regime abzuheben. Die Gehorsamsstrukturen des Tausendjährigen Reiches und des Reiches Gottes auf Erden waren so unterschiedlich nicht, als daß man empört

[74] Nelly Sachs: Fahrt ins Staublose. Gedichte, Frankfurt am Main 1988, S. 95.

den Finger hätte heben können. Ein luzider Tübinger Kirchengeschichtler hat dies, wenn auch nur mündlich, auf den Punkt gebracht: Die Kirche verhindert Christ-sein. Eine Bereitschaft der Katholiken zu Solidarität mit den Leidenden wird durch konsequentes Um-sich-selbst-Kreisen verhindert.

Die katholische Jugendbewegung eines „Quickborn" oder „Neudeutschland" und die deutsche Hitlerjugend waren nicht durch Welten getrennt, sondern bis in die symbolischen Details deckungsgleich. Von einem Romano Guardini konnte strukturbedingt nicht mehr Widerstand erwartet werden als von einem deutschen Arbeitslosen jener Zeit. ‚Katholisch-sein' und ‚die Oberen machen lassen': Dies sind bis zum heutigen Tage Synonyme. Daß die deutschen Katholiken nicht – gegen die amtskirchlichen Vorgaben – aufgestanden sind gegen das barbarische Regime, diese Schuld trifft sie wie fast alle anderen Deutschen dieser Zeit auch.

Wie aber geht das Stellvertreter-Drama zu Ende: Auch Jacobson befindet sich im Lager, weil er Riccardos Paßfoto nicht genügend ähnlich war. Eine von Gerstein geplante Befreiungsaktion wird vom Doktor vereitelt. Riccardo, der den Doktor töten will, wird selbst von einer SS-Wache erschossen. Das Stück schließt mit den Zeilen: „So arbeiteten die Gaskammern noch ein volles Jahr. Erst im Sommer 1944 erreichte die sogenannte Tagesquote der Ermordungen ihren Höhepunkt. Am 26. November ließ Himmler die Krematorien sprengen. Zwei Monate später wurden die letzten Häftlinge in Auschwitz durch russische Soldaten befreit."[75] Carl Amery bemängelt an Erwin Piscators Berliner Erstaufführung, daß gerade auch diese Passage gestrichen wurde, denn er halte „die drei Worte ‚von den Russen' für die wichtigsten des Stücks – auch in Hochhuths Intention. Sie stellen uns, die katholische und nichtkatholische Christenheit, vor die unausweichliche Tatsache, daß die schauerlichste Form der Unmenschlichkeit seit vielen tausend Jahren eben nicht von Christen, sondern von den ‚roten Horden' beendet wurde."[76]

[75] Rolf Hochhuth: Stellvertreter (1995), a. a. O., S. 227.
[76] Carl Amery: Der bedrängte Papst, in: Fritz J. Raddatz (Hg.): Summa iniuria (1963), a. a. O., S. 90.

Dieses Stück ist noch nicht ausgestanden, und es wird auch nie wirklich ausgestanden sein. Eine angemessene historische, kirchliche wie theologische Neuaufnahme des ‚Stellvertreters' scheint längst überfällig zu sein, zumal die echten Herausforderungen des Stücks nach wie vor einer eingehenden Auseinandersetzung harren. Als Anti-Papst-Stück mißverstanden und entschärft wurde und wird es frömmelnd totgeredet statt theologisch ernst genommen. Hinter der gigantischen Diskussion um die Schuld oder Unschuld des Pius XII. bleibt die eigentliche Spitze ausgeblendet: die Lethargie Gottes.

1.3 Maurice Bavaud: Ein Theologiestudent rettet die katholische Ehre?

Es gehört zu den Perlen des Widerstandes gegen die Nazibarbarei, wenn Thomas Mann schon 1940 über den BBC-Sender seinen Landsleuten zuruft: „Deutsche, rettet euch! Rettet eure Seele, indem ihr euren Zwingherren, die nur an sich denken und nicht an euch, Glauben und Gehorsam kündigt!"[77] Es ist noch im nachhinein höchst irritierend, daß nicht eine religiöse Instanz, sondern eine literarische die Forderung nach Gerechtigkeit in die Welt hinausbrüllt. Ja der 1914 erschienene Band ‚Der Untertan' seines Bruders Heinrich Mann nimmt bereits den Aufstieg Adolf Hitlers fast bis ins groteske Detail hinein vorweg und hätte jeden aufmerksamen Leser immun machen können gegen den nationalsozialistischen Popanzen. Keine religiöse Schrift – keine – kann sich moralisch messen an der Widerstandsliteratur.

Dennoch ist es – ohne die wunderbare Leistung der exilierten Dichter auch nur im geringsten schmälern zu wollen – eine noch einmal andere Qualitätsstufe, den Schächern vor Ort unter Einsatz von Leib und Leben entgegenzutreten. Warum aber ist kein Anschlag auf Hitler je geglückt? In erster

[77] Thomas Mann: Deutsche Hörer! Radiosendungen nach Deutschland aus den Jahren 1940 bis 1945, Frankfurt am Main 1995, S. 18 f.

Linie wohl deshalb, weil zu wenige überhaupt den Willen und den Mut für eine solche Tat aufbrachten. Hitlers Architekt, Albert Speer, erinnert sich: „Es wäre mir – unabhängig von aller Angst – immer unmöglich gewesen, Hitler mit der Pistole in der Hand entgegenzutreten. Von Angesicht zu Angesicht war seine suggestive Macht über mich bis zum letzten Tag zu groß.“[78] Laut einer Notiz von Ernst Jünger soll Rommel, als er von Stauffenbergs mißlungenem Attentat erfuhr, sich beschwert haben, ob denn kein Hauptmann mit Armeepistole zugegen gewesen sei.

Die Versuche, den Tyrannen aus der Welt zu befördern, scheiterten fast nie an den Sicherheitsvorkehrungen. Immer waren es seltsamste Umstände, die Hitler im letzten Moment mit dem Leben davonkommen ließen. Der Führer schmückte sich mit solchen Episoden, die ihm in seiner Umgebung die Aura einer messianischen Unverletzbarkeit und Auserwähltheit verleihen sollten. Andererseits begleitete ihn in all seinem Denken und Tun die panische Angst, einem Attentat zum Opfer zu fallen. Er fühlte sich ständig bedroht durch unberechenbare Einzelgänger, gegen die er – zu Recht – kein Kraut gewachsen sah. Dabei war es Hitler selbst, der in seiner Programmschrift ‚Mein Kampf‘ den Tyrannenmord als ehrenvolles Mittel pries. In der nationalsozialistischen Presse war stets von jüdischer oder kommunistischer Weltverschwörung und von ausländischen Hintermännern die Rede, um selbst solche Taten von Einzelgängern für das Regime nutzbar zu machen. So war es, als der Jugoslawe David Detlef Frankfurter in Davos den Landesgruppenleiter Gustloff erschoß, sowie als der siebzehnjährige Herschel Grünspan in Paris den deutschen Legationssekretär anstelle des Botschafters mit fünf Schüssen niederstreckte. Es gab durchaus handlungsfähige Einzelne im Untergrund wie etwa auch den Stuttgarter Helmut Hirsch, einen jüdischen Architekturstudenten, dessen 1937 von Otto Strasser veranlaßtes Attentatsvorhaben durch einen Denunzianten ein frühzeitiges Ende fand.

---

[78] Albert Speer: Erinnerungen, Frankfurt am Main 1969, S. 438 f.

Der Polizeistaat Hitlers trieb seine wahnwitzigen Blüten: Der invalide Rentner Wilhelm Lehmann schrieb dreimal auf die Wand einer Berliner Bedürfnisanstalt, daß Hitler ein Massenmörder und schuld am Krieg sei. Beim vierten Mal wurde er geschnappt, am 10. Mai 1943 hingerichtet. Marianne Kürschner, die kurz nach der Heirat ihren Mann auf dem französischen Schlachtfeld verloren hatte, wurde wegen des Erzählens eines Hitler-Witzes von der Nazijustiz zum Tode verurteilt und am 26. Juni 1943 hingerichtet.

Mit Papst Pius XII. und dem Schweizer Theologiestudenten Maurice Bavaud sind die Extreme katholischen Verhaltens während der Nazizeit abgesteckt: Der eine schweigt, um seine Haut zu retten, der andere versucht ein Pistolenattentat auf den Führer persönlich und findet nach schrecklichen Martern im Berliner Gefängnis Plötzensee den Tod unter dem Fallbeil. Dennoch bleibt die Frage offen, ob der Schweizer Attentäter tatsächlich dem katholischen Widerstand, ja dem Widerstand überhaupt zuzurechnen ist. Zwei Varianten dieser ungeheuren Geschichte sollen hier erzählt werden, eine von Rolf Hochhuth und eine von Klaus Urner, einem Schweizer Historiker.

Am 2. Dezember 1976 hält Hochhuth eine Dankrede zur Verleihung des Basler Kunstpreises, in der er dem verdutzten Publikum vom tragischen Schicksal des 1916 in Neuchâtel als Sohn eines Briefträgers geborenen Maurice Bavaud berichtet. Dieser, „ein Tell von heute“[79], heißt es in der Rede, der in Basel „am 20. Oktober 1938 [...] im Waffengeschäft des Büchsenmachers Bürgin, Am Steinentor 13, die Pistole gekauft hat, um Adolf Hitler zu erschießen [...]. Erlauben Sie mir, das erste Gedenkwort auf Schweizer Boden für diesen heroischen Einzelgänger zu sprechen“[80].

Maurice Bavaud absolviert zunächst auf Geheiß des Vaters eine Ausbildung zum technischen Zeichner, findet in diesem Beruf aber keine Befriedigung und beschließt, katholischer Missionar zu werden. Die Familie

[79] Rolf Hochhuth: Tell 38. Dankrede für den Basler Kunstpreis 1976 am 2. Dezember in der Aula des Alten Museums. Anmerkungen und Dokumente, Reinbek bei Hamburg 1979, S. 17.

[80] Rolf Hochhuth: Tell 38 (1979), a. a. O., S. 17.

ist entsetzt, als er in den Sommerferien 1938 entscheidet, die Studien an dem bretonischen Priesterseminar Saint-Ilan abzubrechen. Er beginnt, wie besessen täglich bis in die Nacht hinein Russisch und Deutsch zu lernen. An einem Sonntagmorgen ist Maurice ohne Vorankündigung verschwunden, im Geldschrank des Gemüseladens seiner Mutter fehlen sechshundert Schweizer Franken. Er taucht bei der Verwandtschaft in Baden-Baden auf, wo er vergeblich eine Anstellung sucht. Er fährt mit dem Zug nach Basel, wo er auch ohne Waffenschein eine Schmeißer-Pistole 6,35 Millimeter und 10 Patronen bekommt. Daraufhin reist er nach Berlin, wo er den deutschen Führer vermutet. Aus der Zeitung ‚Le Jour' erfährt er, daß Hitler sich gerade in Berchtesgaden aufhält. Er fährt ihm dorthin nach, hat allerdings mehr als die Hälfte seines Geldes bereits verbraucht. In einem Wald übt er Zielschießen. Der freundliche Schweizer findet sogar Zeit, auf Bitten zweier Berchtesgadener Oberschullehrer im Französischunterricht vorzulesen und Fragen zu beantworten. Bavaud, der vorgibt ein Hitler-Verehrer zu sein, bringt in Erfahrung, daß sich beim traditionellen Gedenkmarsch zum 9. November in München eine Gelegenheit bieten könnte, dem ‚Idol' ganz nahe zu sein. Er steigt ab im Münchner Hotel ‚Stadt Wien' und erhält als einziger Ausländer eine Tribünenkarte gegenüber der Heiliggeist-Kirche. Da bis zum großen Ereignis noch einige Tage Zeit ist, besorgt er weitere Munition und schießt auf dem Ammersee auf Papierschiffchen. Durch Zufall trifft er am Karlsplatz auf den Oberlehrer Reuther, den er erst kürzlich in Berchtesgaden kennengelernt hat. Sie kehren ins Café Fahrig ein, wo Bavaud freudig über seinen Tribünenplatz berichtet. Niemand schöpft auch nur den geringsten Verdacht. Am Tag der Wahrheit ergattert Bavaud einen Platz in der ersten Reihe auf der Tribüne, auch Georg Elser ist an jenem Mittwochmorgen Zuschauer des Umzuges. Die geladene Pistole befindet sich in Bavauds Manteltasche, der Zug mit der gesamten NS-Führung nähert sich, er kann neben Hitler auch Göring und Himmler erkennen. Die Distanz für einen gezielten Schuß erweist sich als zu groß. Die SA-Leute reißen unter ‚Heil Hitler'-Rufen ihre Arme hoch, Bavaud bleibt die Sicht versperrt, bis die Kolonne vorübergezogen ist.

Am folgenden Tag bereits versucht er am Obersalzberg erneut, sich Zugang zu Hitler zu verschaffen mittels eines selbstverfaßten Empfehlungsschreibens des französischen Ministerpräsidenten Flandin, wird aber gleich von einem Schutzposten abgewiesen. Bei einem zweiten Versuch wird Bavaud bis zum ‚Haus des Führers' vorgelassen, der Führer selbst aber ist außer Haus. Nach einer weiteren Verfolgungsfahrt besitzt Bavaud nur noch fünf Reichsmark. Er wird von einem Schaffner kontrolliert, der den Schwarzfahrer in Augsburg der Bahnpolizei übergibt. Diese wiederum, weil es sich um einen Ausländer handelt, reicht ihn an die Gestapo weiter. Es werden bei ihm eine Pistole, neunzehn Patronen, ein an den ‚Reichskanzler' adressierter Umschlag, ein gefälschtes Empfehlungsschreiben an Hitler und eine dubiose Schutzerklärung gefunden – eine frappierende Parallele zum mangelnden Selbstschutz Georg Elsers.

Hochhuth läßt keinen Zweifel aufkommen über seine Einschätzung der Bedeutung Bavauds: „Hitler ließ denn auch, unmittelbar nachdem Bavauds Leiche vermutlich in die Anatomie gebracht worden war, diesem immer vorbildgefährlichen Schweizer die einzige Auszeichnung zukommen, die er überhaupt zu vergeben hatte, ja – mehr: er hat Bavaud nicht nur wie Ungezählte zum Märtyrer gemacht, sondern weit hinausgehoben über die Figuren der Zeitgeschichte und eingereiht in die des Mythos, indem er ihn direkt neben Wilhelm Tell stellte und bereits am 3. Juni 1941 das gleichnamige Schauspiel verbot!"[81] Hochhuth sieht in Bavaud den einzigen Menschen des Zeitalters, „der bereits am Tage der Kristallnacht und vor dem Krieg Hitler mit Pistole beseitigen wollte, weil er ‚im Führer eine Gefahr für die Menschheit' sah"[82]. Für den Dichter sind diejenigen, die nicht uneingeschränkt an seine Version von der Lichtgestalt Bavaud glauben, ‚glückverdummt' durch eine allzu lange Periode des Friedens. Diesbezüglich muß man sich schon wundern, daß ausgerechnet der Autor des ‚Stellvertreters', dem man doch selbst wegen seiner damaligen Jugendlichkeit jegliches zeit-

[81] Rolf Hochhuth: Tell 38 (1979), a. a. O., S. 28 f.

[82] Rolf Hochhuth: Plädoyer für Bavaud, in: Die Weltwoche, Nr. 46, Zürich, 12. November 1998, S. 54.

geschichtliche Urteilsvermögen abzusprechen versucht hat, daß ausgerechnet er nun argumentiert, man müsse quasi den Krieg erlebt haben, um den Mund aufmachen zu dürfen.

Hochhuths Darstellung der Bavaud-Figur als untadeliger Tyrannenbefreier bleibt nicht lange unbestritten. Klaus Urner, seit 1993 Titularprofessor für Geschichte an der ETH Zürich, bekundet die ersten Zweifel an Hochhuths Lesart des Bavaud-Schicksals als Heldenmythos und bekommt prompt Prügel dafür. In der Vorbemerkung zum Abdruck der Anklageschrift sowie anderer Dokumente im Zusammenhang mit dem Fall Bavaud, weist Hochhuth auf das Unrecht der Geschichtsschreibung hin, die die Dokumente der Täter als Fundament benutzt. Er befürchtet, bei der Lektüre der Anklage könne der eine oder andere Leser „ebenso töricht, dummdreist und kurzschlüssig reagieren wie jener Züricher sogenannte Historiker Urner [...] Das Porträt, das Hitlers Büttel von Bavaud ‚entwerfen' und das Urner dokumentensüchtig, dokumentengläubig übernimmt, ist aber Maurice Bavaud so ähnlich wie eine Judenkarikatur aus Julius Streichers ‚Stürmer' einem normalen Juden ähnlich war"[83]. Diesen Vorwurf spielt Urner postwendend zurück, denn für ihn liegt die Hauptursache für den Konflikt in der unterschiedlichen Bewertung des Volksgerichtshof-Urteils. Hochhuth und andere Vertreter der Einzelkämpfer-These „vertrauen den dort zitierten Gutachten und Aussagen und vertreten jene Interpretationen, mit denen der Volksgerichtshof unter negativen Vorzeichen Bavaud jede Chance auf Strafmilderung genommen hat. Demgegenüber führten meine Studien zum Schluß, daß es sich bei diesem Schriftsatz der Nazijustiz um ein Machwerk handelt, das nur auf die Verhängung der Höchststrafe bedacht war und den historischen Sachverhalt falsch wiedergibt."[84]

Welches sind nun aber die wirklichen Beweggründe dafür, daß der friedliebende Maurice Bavaud mit geladener Pistole wie besessen Jagd auf den Führer macht? Ist es so, wie in der Anklageschrift festgehalten, daß

[83] Rolf Hochhuth: Tell 38 (1979), a. a. O., S. 48.

[84] Klaus Urner: Ein Schweizer Held oder zwei Opfer der Nazijustiz? Zum Gedenken an Maurice Bavaud und Marcel Gerbohay, in: Neue Zürcher Zeitung (Internationale Ausgabe), Nr. 259, Zürich 7./8. November 1998, S. 57.

hier ein strenggläubiger Katholik aus Angst um den Katholizismus und um das Los der Schweiz das für jeden anderen Katholiken wie Schweizer Undenkbare mit verblüffender Todesverachtung ausführt? Tatsächlich aber passen viele Details nicht in das Bild eines antifaschistischen Heros. So der Umstand, daß der siebzehnjährige Bavaud für einige Monate der Neuenburger ‚Front National' angehört und am 2. Oktober 1938 der antisemitischen Zeitschrift ‚Weltdienst', die er für ein halbes Jahr abonniert, schreibt, daß auch in der Westschweiz „noch einige ehrbare Leute [...] gegen die Machenschaften von Juda kämpfen. Wie ich hörte, ist Ihr Blatt von der Demokratie sehr überwacht, dadurch wird es nur um so interessanter. Ich bewundere Ihre Anstrengungen, meine Herren, denen ich mich tatkräftig anschließen möchte."[85] Nach dem Erlebnis der Kristallnacht in München schreibt er auf Lateinisch: „Über die Juden. – Die Juden sind das Übel der Welt. [...] Die Römer hätten niemals die verderblichen Kräfte der Juden vernichten können. Die Christen aber"[86]. Bavauds jugendlicher Irrglaube an ein bedrohliches Weltjudentum wurde offensichtlich durch den am katholischen Priesterseminar St. Ilan vorherrschenden Antijudaismus massiv verstärkt. Hitlers Justiz bereitet diese partielle Übereinstimmung des Angeklagten mit der faschistischen Gesinnung durchaus argumentative Probleme, dementsprechend schnell wird darüber auch hinweggegangen. Wenn aber der Antisemit Hitler nicht das Motiv war, was war es dann?

Der Historiker Urner, der bereits Jahre vor Hochhuths Entdeckung Nachforschungen zum Fall Bavaud angestellt hat, wirft dem Autor verfälschende Verklärung vor: „Fragwürdig sind die Tendenzen, den Eidgenossen zum Helden zu erheben und an seinem Beispiel das Versagen des deutschen und nichtdeutschen Widerstandes im Kampf gegen Hitler vorzuführen. Ein solcher Versuch muß früher oder später in Peinlichkeiten

[85] Klaus Urner: Der Schweizer Hitler-Attentäter. Drei Studien zum Widerstand und seinen Grenzbereichen, Frauenfeld - Stuttgart 1980, S. 151.

[86] De Judeis. – Judei mundi mala sunt. ‚Vae Judae' clamabant romani in bello judei, Tito duce et Vespasio imperatore. Hoc fuit primo ‚pogrom'. Josefus narrat omnes judeos occidi fuerunt, Jerusalem tote deletum fuisse. Aureo penisque judei mundi romani potentia semper fuerunt. Romani nunquam delere vires pernitiosas judeorum potuerunt. Christiani autem" (Zitiert nach Klaus Urner: Der Schweizer Hitler-Attentäter (1980), a. a. O., S. 195).

enden, da die Errichtung dieses Einzelmonuments auf schiefer Basis steht. Gilt es, statt eines Helden nicht vielmehr an zwei Opfer zu erinnern, die aus wirren Motiven in die Fänge der Nazijustiz geraten und erbarmungslos hingerichtet worden sind: neben Maurice Bavaud auch an seinen engen Freund und Inspirator Marcel Gerbohay?"[87] Urner liefert in der Folge ein gänzlich anderes weil unpathetisches Bild jenes Neuenburger Attentäters. Seinen Untersuchungen zufolge liegen für das Attentatsvorhaben keine politischen oder rational nachvollziehbaren Gründe vor.

Urner geht davon aus, daß die bereits erwähnte dubiose Schutzerklärung der Schlüssel für die richtige Einschätzung des Falles ist. Was hätten die Nazischergen auch groß anfangen sollen mit einem Schreiben in französischer Sprache, das da lautet: „Dieser Mann steht unter meinem unmittelbaren Schutz und hat nichts getan, was nicht meinen Befehlen gemäß ist."[88] Monatelange Gestapo-Verhöre führen zu dem noch verwirrenderen Resultat, daß der Verfasser dieses Schreibens eine einflußreiche deutsche Persönlichkeit sei. Zwischenzeitlich widerruft Bavaud das Gesagte und gibt sich selbst als Verfasser aus, einen Auftraggeber gebe es gar nicht. Der mutige Pflichtverteidiger, Franz Wallau, versucht Bavaud als Opfer der antideutschen Hetze in der internationalen Presse darzustellen, um das Todesurteil abzuwenden. Doch dann kommt ein weiteres Kuriosum: Nach Monaten in ständiger Erwartung des Scharfrichters gibt er in einem Brief an seine Familie, den die Schergen natürlich lesen, das Geheimnis um den Verfasser der Schutzerklärung preis. Marcel Gerbohay, ein intimer Freund und Kommilitone am Priesterseminar in der Bretagne, sei der eigentliche Auftraggeber. Wahrscheinlich ist in Bavaud der bis dahin durchgehaltene Glaube, daß der große ‚Unbekannte' ihn vor jeglicher Bestrafung bewahre, gebrochen. Es ist jener Mann, dessen Foto bei der Verhaftung des Schweizers gefunden worden ist. Auf der Rückseite steht Bavauds Hingabeformel in lateinischer Schrift: „Ich glaube an Deinen Stern, wir sind ein Körper, ein Herz, eine Seele, überall und immer."[89]

[87] Klaus Urner: Ein Schweizer Held (1998), a. a. O., S. 57.
[88] Zitiert nach: Rolf Hochhuth: Tell 38 (1979), a. a. O., S. 73.
[89] Zitiert nach: Klaus Urner: Ein Schweizer Held (1998), a. a. O., S. 57.

Der vermutlich schizophrene Gerbohay, den Bavaud verehrt, gibt sich in nächtlichen Obsessionen aus als Großfürst Dimitri Marcel Joseph Arnold Romanow-Holstein-Gottorp, rechtmäßiger Anwärter auf den Zarenthron. Im September 1938 erteilt Gerbohay seinem hörigen Freund in Neuenburg brieflich den Auftrag, Adolf Hitler, der seiner Thronbesteigung wegen seiner Friedensbestrebungen mit Rußland – welch groteske Fehleinschätzung! – im Wege stehe, zu beseitigen. Das absurde Ziel der beiden ist, Deutschland zu einem Krieg gegen Russland zu bewegen und den Kommunismus wie das Judentum (!) auszulöschen. „Hitler verkannten sie als vermeintlichen ‚Friedenspolitiker'; nach der Münchner Konferenz waren sie mit diesem Irrtum allerdings nicht allein. Daß Bavaud Hitler beseitigen sollte, weil dieser einer Kriegserklärung an Russland angeblich im Wege war, hatte mit klarsichtigen Motiven nichts zu tun, sondern beruhte auf der Hörigkeit Bavauds gegenüber Gerbohay, dem vermeintlichen Großfürsten und russischen Thronfolger, dessen Krankheit der gutgläubige Bavaud in seiner bedingungslosen Liebe nicht erkannt hatte."[90] – Dies sind Aspekte, die wir in der Hochhuthschen Version in dieser Form nicht zu lesen bekommen.

Die beinahe wunderbare Geschichte endet mit dem grauenvollen Tod der beiden: 1941 wird Bavaud, zwei Jahre später der von den Nazis im besetzten Frankreich ausgeforschte Gerbohay in Plötzensee geköpft. Ein guter Gott: Er hätte das Vorhaben dieser beiden Theologen gelingen lassen müssen.

Es kann hier nicht der Ort sein, ein letztgültiges Urteil über die beiden Sichtweisen von Hochhuth und Urner zu sprechen. Hochhuth hat Urners andersartige Einschätzung der Attentatsmotive als persönlichen Affront gewertet und dabei übersehen, daß Urner dem einzigartig entschlossenen Schweizer in keinster Weise seine Hochachtung vorenthält. Denn darüber sind alle Parteien einig: Hätte Bavauds und Gerbohays Unterneh-

---

[90] Das Zitat stammt aus einem Email, das ich am 9. Juni 1999 von Herrn Prof. Dr. Urner erhalten habe. Ich darf mich an dieser Stelle auch bei dessen Frankfurter Kollegen, Herrn Dr. Stefan Wagner, sehr herzlich für die freundliche Unterstützung bedanken.

mung Erfolg gehabt, wäre die Geschichte grundlegend anders verlaufen. Daß die beiden die Möglichkeit einer Welt ohne Holocaust für uns überhaupt eröffnet haben, erfüllt ihr Leiden und Sterben mit Sinn.

1.4 ‚Handeln, als wäre da kein Gott'

„Glauben Sie an Gott?" fragt Rolf Hochhuth sich selbst und antwortet sogleich mehr verdunkelnd als klärend: „[...] das wechselt. Meistens nicht, zuweilen doch."[91] Was der Dichter meistens ‚glaubt', hat er in dem Gedicht ‚Deus absconditus?' mehr als eindrücklich festgehalten:

> Im Zweiten Weltkrieg, statistisch belegt,
> Verreckten an Land, in der Luft, auf den Meeren
> Soldaten Zivilisten: sechsundfünfzig Millionen.
> Gott – wenn es Gott gibt – hat das nicht bewegt. [...]
>
> Fügung, die Auschwitz fügt und Hiroshima?
> Kinder ertränkt, verhungern läßt, verbrennt? [...]
> Wer dies verhindern könnte, doch ihm zusah:
> Sei Gott? Dann wäre Gott moralisch impotent.[92]

Das aristotelische Prinzip des ‚unbewegten Bewegers' wird hier auf skurrile Weise ins Moralische gewendet. Gott, den das alles nicht bewegt, den der Weltengang kalt läßt, ihn trifft in aller Härte der Vorwurf der unterlassenen Hilfeleistung, denn er allein hatte sowohl genaue Kenntnisse der Umstände wie auch alle Macht, der Barbarei Einhalt zu gebieten. Nur eines könnte mildernd geltend gemacht werden, nämlich daß es ihn nicht gibt.

[91] Playboy-Interview: Rolf Hochhuth, in: Playboy (Deutsche Ausgabe), Heft 5, 1979, S. 69.

[92] Rolf Hochhuth: Die Hebamme. Komödie. Erzählungen, Gedichte, Essays, Reinbek bei Hamburg 1971, S. 294.

Moralisch, nicht theologisch, mahnt Hochhuth quasi: Laßt Gott aus dem Spiel, seid selbst verantwortlich! Goethe zieht er deswegen Hegel vor, zumal dieser ganz antispekulativ das Faktische schon als Theorie ansieht und jegliche Suche hinter den Phänomenen verwirft: „Goethe sah historische Fakten und kam nicht auf den Einfall (und die Unverfrorenheit), Gott für sie haftbar zu machen“[93]. Auch in der jungpaläolithischen Höhle von Lascaux, der ‚Capella Sixtina der Archäologen‘, findet er seine Gottesabstinenz-Theorie bestätigt. Die Wandmalereien zeigen Urrinder, Hirsche und trächtige Wildpferde, aber

> Keine Spur einer Gott-Vorstellung [...]
> Brauchten Menschen in der Natur – Gott?
> Spät erst, Verbrecher geworden, erfanden
> Sie aus Angst Sündenböcke – Götter![94]

Hochhuth tut niemand einen Gefallen. Sein humaner Blick wird durch keine politisch-religiöse Parteilichkeit getrübt. Wenn er schreibt, werden falsche Hoffnungen radikal abrasiert. In seiner Welt wurden die Menschen mit dem Glück nur bekannt gemacht, um es zeitlebens zu suchen. Mit dem Leiden dagegen sind sie vertraut. Heilsvorstellungen wurden in die Welt gebracht, damit es in der jeweiligen Differenz zu ihnen eine Meßskala des Zugrundegehens gibt. Nur „die Liebe läßt uns ahnen, manchmal, was die Schöpfung ursprünglich mit uns vorgehabt haben könnte.“[95]

Dabei entpuppt sich Hochhuths Beschäftigung mit dem Religiösen entgegen dem ersten sich aufdrängenden Eindruck als vielschichtig angelegtes Arrangement: Religion umfaßt das kriminelle päpstliche Schweigen zu den Judenmorden ebenso wie die kritische gesellschaftliche Kraft gegen Unterdrückung und Entfremdung wie auch die Mittelmäßigkeit eines Monsignore Rosentreter oder Kreispfarrer Bohrer.

---

[93] Rolf Hochhuth: Goethe: ‚Was Völker sterbend hinterlassen ...‘, in: ders.: Tell gegen Hitler. Historische Studien, Frankfurt am Main 1992, S. 55.

[94] Rolf Hochhuth: Empfehlung an Vertriebene, in: ders.: Panik (1991), a. a. O., S. 309.

[95] Rolf Hochhuth: Hebamme (1971), a. a. O., S. 31.

Es ist ein Geistlicher, der Anne, die Berliner Antigone, durch seine Besuche in ihrer Zelle im Gefängnis Plötzensee stützt. Als Instanz, die keiner irdischen Macht verpflichtet ist, steht die Protagonistin mehrmals kurz davor, Pfarrer Ohm zu verraten, wo sie ihren Bruder beerdigt hat. Der Pfarrer ist es auch, der Anne die Nachricht vom Tod ihres Verlobten zukommen läßt. Dieser hatte sich das Leben genommen, als er in Rußland von der Verhaftung Annes erfuhr. „‚Er wollte zu Ihnen … verstehen Sie!' sagte der Geistliche, und seine Augen zuckten. Er mußte es wiederholen: ‚Bodo wollte bei Ihnen sein. Er glaubte doch – er dachte, Sie seien schon … tot.'"[96]

Auftritte von Geistlichen stehen in Hochhuths Stücken nicht selten an zentraler Stelle oder leiten eine Wende des Geschehens ein. In ‚Soldaten' etwa bekommt Winston Churchill überraschenden Besuch von Bischof Bell, eine sehr wahrscheinlich nur literarisch kreierte Begebenheit. Der Bischof, ein Freund des Schweizer Dogmatikers Karl Barth, hält Churchill vor, durch die Niederbrennung ziviler deutscher Städte auf das moralische Niveau seines Gegners Hitler herabgesunken zu sein. Er stellt sodann die rhetorische Frage, die das moralische Dilemma des Retters des Abendlandes widerspiegelt: Ist jemand, „der vorsätzlich Wohnzentren verbrennt, / noch als Soldat anzusprechen?"[97] Es sei zutiefst verwerflich, Kinder durch Bomben zu liquidieren, nur um die Väter an der Front zu zermürben. Der Kriegserfolg könne nicht davon abhängig sein, daß neben militärischen und wirtschaftlichen Zielen auch Wohnhäuser dem Erdboden gleich gemacht würden. Dies sei das Werk von „Tilgungsingenieure[n] des Dekalogs"[98]. Dorland, ein ranghoher Militär, nimmt den Premierminister abwägend in Schutz: „Trotzdem: wenn Sie Churchill attackieren, / denken Sie, / wo wären wir alle ohne diesen Mann!"[99] Eine schaudernde weil wahre Aussage, die für jeden Europäer nach 1945 zutrifft. Und mehr noch als der Bischof von Chichester ist es Rolf Hochhuth selbst, der diesem britischen Staatsmann letztlich verehrend zugesteht: „Hitler macht die Menschheit / zum

[96] Rolf Hochhuth: Die Berliner Antigone, in: ders.: Hebamme (1971), a. a. O., S. 43.

[97] Rolf Hochhuth: Soldaten. Nekrolog auf Genf. Tragödie, in: ders.: Alle Dramen 1, Reinbek bei Hamburg 1991, S. 670.

[98] Rolf Hochhuth: Soldaten (1991), a. a. O., S. 721.

[99] Rolf Hochhuth: Soldaten (1991), a. a. O., S. 683.

Schuldner seines Überwinders."[100] In diesem 1967 uraufgeführten Stück bricht bereits Hochhuths Geschichtspessimismus als gemeinsamer Nenner im Dialog zwischen Politik und Kirche zum ersten Mal durch. Churchill: „Aber sagen Sie als Theologe: / Warum hat der Schöpfer es abgestellt / auf die Zerstörung des Geschöpfes … / BELL: Schließt nicht dieser Prozeß alle Vernunft ein? / Weisheit muß sich gegen den Menschen richten, / wenn sie diesen Namen verdient. / (Da Churchill ihn – zum erstenmal – ratlos ansieht:) / Wie sich der Mensch benimmt in großen Reichen, / das zwingt den Schöpfer, ihn durch Krieg / periodisch lahmzuschlagen."[101] Doch auch der Schöpfer hat für ihn einiges auf dem Kerbholz: „Von Gott – weiß man zuviel als Priester, / um nur Gutes von ihm zu wissen"[102].

Auch in dem Stück ‚Guerillas', uraufgeführt 1970 im Stuttgarter Staatstheater, spielen Kirchenvertreter einen zentralen Part. Allerdings kommt es hier gleichfalls zu keinem versöhnlicheren Umgang mit dem Vatikan, vielmehr nimmt Hochhuth allein diejenigen Theologen ernst, die sich mit Leib und Leben für das Recht des unterdrückten Volkes auf Revolution einsetzen. Politisches Theater, so stellt er im Vorspann klar, hat nicht die Aufgabe, „die Wirklichkeit – die ja stets politisch ist – zu reproduzieren, sondern hat ihr entgegenzutreten durch Projektion einer neuen."[103] Die Befreiungstheologie ist für Hochhuth ein nicht wegzudenkender Teil des sozialen Gewissens, ja es gibt so etwas wie eine natürliche Verbindung zwischen Glaube und Freiheitswillen. Auch den Initiator des USA-Umsturzversuches, Senator David Nicolson, siedelt der Autor im katholischen Milieu an, denn „sein Katholizismus, der ihn ebenso wie den Priester Camilo Torres zum Revolutionär machte, ist ganz irdisch: Nicolson bejaht einfach die Bergpredigt als das Erste Kommunistische Manifest – demgegenüber er sich die Freiheit herausnimmt, es einschränkend und auch erweiternd zu akzeptieren."[104] Nur der souveräne Umgang mit Normen, die man mittels Vernunft geprüft

[100] Rolf Hochhuth: Soldaten (1991), a. a. O., S. 685.
[101] Rolf Hochhuth: Soldaten (1991), a. a. O, S. 701.
[102] Rolf Hochhuth: Soldaten (1991), a. a. O, S. 708.
[103] Rolf Hochhuth: Guerillas. Tragödie in fünf Akten, in: ders.: Dramen 1 (1991), a. a. O, S. 769.
[104] Rolf Hochhuth: Guerillas (1991), a. a. O, S. 802.

hat, verbürgt dafür, daß man nicht in blinde Dogmen- bzw. Ideologiehörigkeit zurückfällt. Padre Dr. Martinez, ehemaliger Sekretär von Torres, gehört ebenfalls zu den Drahtziehern, welche die amerikanische Oligarchie – Pentagon und Wallstreet – durch einen Umsturz beseitigen wollen. Doch entpuppt sich der geplante Coup d'État im fortgeschrittenen Stadium als wenig aussichtsreich, und es bricht ein heftiger Streit unter den Revolutionären über die Sinnhaftigkeit des Unternehmens aus. Für Nicolson zählt der Versuch unabhängig vom Erfolg, denn „der Nazarener hat auch nichts erreicht; / und ist doch heute noch lebendig. [...] Hier ist die Chance, etwas zu tun, was [...] deinem Katholizismus Ernst gibt."[105] Höhepunkt des Stücks ist der Beichtstuhl-Dialog zwischen Maria, der Frau von Nicolson, und einem guatemaltekischen Bischof. Resigniert gesteht der Geistliche ein: „Der Auftrag der Kirche war eindeutig: / steh bei den Armen. / Das war unser Gebot – / das haben wir zweitausend Jahre lang gebrochen. [...] Beharrung ist schlechthin das Verbrechen / in diesen Ländern der Ent-Rechteten. / Die Kirche aber ist – die Beharrung. [...] MARIA: Warum sind Sie dann Bischof dieser Kirche? BISCHOF: Weil ich sie als Bischof am besten bekämpfen kann. / Wie sollte ich Gott dienen in diesem Land, / ohne die Kirche zu bekämpfen"[106].

Hochhuth und die Religion – das ist ein schwieriges Verhältnis. Zum einen fasziniert ihn das radikale Bekenntnis zu den Armen und Schwachen, andererseits aber stößt ihn das Numinose als Inbegriff des Anonymen und Unethischen ab. Den leeren Glaubensphrasen eines Monsignore Rosentreter hält Sophie, die Hebamme und Heldin, lapidar entgegen:

> Man soll sich nicht um Gott kümmern –
> sondern um die, um die er sich nicht kümmert.[107]

Ein Satz von ungeheurer, von theologischer Kraft: Der Mensch tritt an die Stelle Gottes, indem er zur Tat schreitet, weil das Grauen des Wirklichen kein Zögern mehr zuläßt. Gott und mehr noch das Warten auf ihn

[105] Rolf Hochhuth: Guerillas (1991), a. a. O, S. 873 u. 898.
[106] Rolf Hochhuth: Guerillas (1991), a. a. O, S. 1017 ff.
[107] Rolf Hochhuth: Die Hebamme. Komödie, in: ders.: Dramen 1 (1991), a. a. O, S. 1170.

haben sich als unmoralisch entpuppt. Nicht unbedingt seinen Glauben, aber seine Passivität verliert der Aufständische. Gegen den absenten Gott und im Gedenken an ihn errichtet er Unterkünfte für die Notleidenden. Sich um die zu kümmern, um die sich Gott nicht kümmert: Dies ist der Ausgangspunkt ethischer Existenz.

Auf die Frage, ob nicht auch die Gottvater-Figur dargestellt werden sollte, sinniert der Bühnenbildner: „Sie lenkt nur ab von unsrer Haftung. / Deshalb sind die Religiösen so selten human, / sie vergessen über ihrem Gottgequassel, / daß es stets nur einen Weg zu ihm gab: / den Mitmenschen als sein Ebenbild behandeln."[108] Martin Buber erzählt von Rabbi Mosche Löb, der keine menschliche Eigenschaft für umsonst geschaffen sieht. Selbst die Gottesleugnung hat ihre Erhebung in der hilfreichen Tat, denn „wenn einer zu dir kommt und von dir Hilfe fordert, dann ist es nicht an dir, ihm mit frommem Munde zu empfehlen: ‚Habe Vertrauen und wirf deine Not auf Gott', sondern dann sollst du handeln, als wäre da kein Gott, sondern auf der ganzen Welt nur einer, der diesem Menschen helfen kann, du allein."[109]

1.5 ‚Im Glauben verankert und vom Denken erlöst'

Hochhuths schriftstellerische Intention liegt in der Minimierung der Distanz zwischen Zeitgeschichte und Zeitgenosse. Wer ‚Eine Liebe in Deutschland' liest, wird systematisch durch den Wechsel von erzählerischer und dokumentarischer Perspektive hineingezogen in den Strudel des schauerlichen Geschehens. Was Germanisten gerne als ‚mangelnde Distanz des Autors' kritisieren, das hat Hochhuth seiner Wesensart gemäß auf die Spitze getrieben als „identifizierende Erzählprosa von unausweichlicher Eindringlichkeit"[110]. Dem Leser wird der Fluchtweg verbaut, den er ansonsten zu

[108] Rolf Hochhuth: Soldaten (1991), a. a. O, S. 468 f.

[109] Martin Buber: Die Erzählungen der Chassidim, Zürich 1984, S. 538 f.

[110] Karl Otto Conrady: Gegenwärtige Vergangenheit, in: Walter Hinck (Hg.): Eingriff (1981), a. a. O, S. 233.

nehmen pflegt, wenn es unangenehm wird, nämlich sich zu beruhigen in der Gewißheit, daß der Text bei aller Rührung denn doch nur erfunden sei. Bei Hochhuth ist das Erzählte wahr. Man fühlt, daß ohne dieses schriftstellerische Engagement eine Dimension des historischen Geschehen-seins fehlen würde. Das Ereignis bliebe ganz in sich selbst hängen, es würde um seiner Wirkungsgeschichte – und das heißt zumeist auch um seiner Gerechtigkeit – beraubt.

Ohne literarisches Zutun wäre es bloß geschehen, aber in den Händen des Autors steht das Vergangene noch einmal zur Disposition: die Geschichte von der verbotenen Liebe zwischen der Brombacher Gemüsehändlerin Pauline und dem polnischen Kriegsgefangenen Stasiek. Kaum eine theologische Schrift besitzt solch bewegende Aufrichtigkeit wie das verzweifelte Gespräch des zum Tode verurteilten Polen mit seinem Landsmann: „Wahr ist nur dies: da wir von den sogenannten letzten Dingen nichts wissen, so können wir auch nicht ausschließen, daß sie erste Dinge sind. Denn da wir nichts wußten vom Leben, bevor wir lebten; da wir nichts von ihm wußten und es sich doch als Realität erwies, so können wir logischerweise auch vom Tode, von dem wir ja ebenso wenig wissen, bevor wir tot sind, nicht ausschließen, daß er genauso ein Anfang ist, wie das Leben sich als ein Anfang herausstellte! Das sagte er zu Stani, als der ohne Übergang, doch hatte Victorowicz bemerkt, wie es gearbeitet hatte in ihm, plötzlich fragte: ‚Du – bleibt etwas nach dem Tode?‘ Victorowicz zögerte nicht, da er das aufrichtig versichern konnte, zu antworten, was er da bedacht hatte. Und hinzuzufügen: ‚Daß wir nichts vom Tode wissen (ebensowenig wie wir vom Leben wußten, bevor wir da waren) – spricht doch keineswegs dagegen, sondern spricht eher dafür, daß auch er eine neue Form der Existenz für uns bereit hält. Dasein oder Fortsein, das sind ja nur irdisch-örtliche Aspekte unserer Existenz: daß die sich nicht gleichen – sagt noch keineswegs, daß die nicht sind.‘“[111]

[111] Rolf Hochhuth: Eine Liebe in Deutschland, Reinbek bei Hamburg 1983, S. 235.

Hochhuth ist kein religiöser Schriftsteller. Aber um die Auswüchse des Religiösen zu benennen, begibt er sich bereitwillig auf theologisches Terrain. Daß Gläubigkeit kein Garant für sittliche Integrität sein kann, setzt er voraus, denn nicht selten ist einer „zu christlich, / um ein Herz für Mitmenschen zu haben."[112] Ethische Leidenschaft, der bedingungslose Einsatz für das Humanum: Nur daran läßt sich die Güte eines Menschen ermessen, und dies verträgt sich durchaus mit einem moderaten Gottesbild.

Die moralische Auseinandersetzung um die Rechtmäßigkeit der Tötung des amerikanischen Präsidenten, der die Produktion chemischer Waffen angeordnet hat, mündet in die Frage nach der göttlichen Legitimation. Im Streit mit ihrem Bruder konstatiert Judith: „Gott will es – sonst dächte ich das nicht. / ARTHUR: Gott? Bist du sicher, der ist nicht nur ein Klischee, / die Metapher jener, / die sich fürchten, Eigenes zu denken? / Wer ist Gott? / JUDITH: Wer Gott ist, weiß niemand. Wo er ist, sieht jeder: in den Mitmenschen, die er / nicht dazu erschuf, daß Menschen sie abschaffen."[113] Keine Frage, daß viel frommes Gottgerede eine Glasglocke ist, die meist jegliche Infragestellung abschirmen soll. Aber auch Gustavo Gutierrez, Ernesto Cardenal oder Leonardo Boff – Vertreter der Befreiungstheologie – reden von Gott und beziehen aus dem Glauben die Kraft für ihren Einsatz für die Würde der Menschen und der Erde. Solchen Leuten zollt Hochhuth höchsten Respekt.

Woher stammt die menschliche Lust an Krieg und Gewalt? Entbirgt sich darin ein bösartiger Schöpfer oder gilt vielmehr: Wo „kein Gott ist, hat er auch keine Schuld"[114]? Warum preist sich der passionierte Auslöscher des Lebendigen als Gottes Ebenbild: „Um zu verdrängen, daß er nichts als – Scheiße"[115]? Weil sie vom Menschen handelt, ist die Weltgeschichte weniger der Historie als vielmehr der Pathologie zuzuordnen. Läßt sich aber ein unbewegter Punkt außerhalb der stürmischen Geschichte festmachen? Ist sie nur Schicksal, oder hat sie auch einen Sinn?

[112] Rolf Hochhuth: Sommer 14. Ein Totentanz, in: ders.: Dramen 2 (1991), a. a. O., S. 2888.
[113] Rolf Hochhuth: Judith. Trauerspiel, in: ders.: Dramen 2 (1991), a. a. O, S. 2308.
[114] Rolf Hochhuth: Ärztinnen, in: ders.: Dramen 2 (1991), a. a. O, S. 2028.
[115] Rolf Hochhuth: Sommer (1991), a. a. O, S. 2623.

Der Kentaur fragt vorwurfsvoll den Tod, warum er jene verschone, die den Krieg angezettelt haben. Worauf dieser wütend antwortet: „Warum fragst du nicht Gott, der's duldet? / Und weghört: von Millionen angebettelt, / um nichts als um ihr nacktes Überleben! / KENTAUR: Von Gott spricht nur, / wer's in Beschämung aufgegeben, / Verantwortung zu tragen / fürs Massensterben. Weist die Spur, / die breiteste, die seit den Schöpfungstagen / mit Menschenblut / die Erde je getränkt, / weist sie auf Gott? Absurd. Gott ruht / – er hat sich in den Krieg nie eingemengt, / weil er nicht existiert – im gar Nicht-sein … / TOD: Aus gar nichts – kommt nicht einmal Krieg! / Da nichts entsteht aus sich allein / schuf Gott die Welt – daß er dann schwieg, / ist seine Rache, weil wir sie versauen: / Was ist dem Herrn des Weltalls schon die Erde! / Den langweilt längst, noch zuzuschauen, / wie den Planeten der verheerte, / der sich – wie du – stolz Homo faber nennt"[116].

Als Beweis, daß Hochhuths Streitlust zuweilen auch in Humor umzuschlagen vermag, sei der Schlußteil einer himmlischen Konversation aufgeführt. Gott, der sich über die schuftenden Bergmänner wundert, bekommt von Petrus erklärt, daß diese im Schweiße ihres Angesichts den Unterhalt verdienen, wie er es doch verlangt habe.

> ‚Die armen Idioten!' klagt Gott – ‚ja denken
> die ernstlich, das hätte ich wörtlich gemeint?'
> Und krümmt sich vor Ekel – ihn abzulenken.
>
> Zeigt Petrus ihm rasch in Rom das Konzil.
> Tausend Bischöfe singen im Petersdom,
> Kardinäle und Papst – und das Orgelspiel
>
> Hört selbst noch Gott – und hat seine Freude
> An der Prachtversammlung in Seide und Gold:
> ‚Witzig, diese spitzigen Hüte der Leute!'
>
> Und Gott fragt, was diese Sänger vereint.
> ‚Das Wissen, o Herr' – gibt Petrus zur Antwort,

[116] Rolf Hochhuth: Sommer (1991), a. a. O, S. 2976.

‚mit dem Schweiß, das sei nicht so wörtlich gemeint.‘[117]

Der Dichter bietet in Glaubensdingen keine Lösungen, sondern – was ihn glaubwürdig macht – allein Dilemmata. Der satirisch-melancholischen Veranlagung entsprechend könnte man Hochhuth in den Mund legen, was Heinrich Heine Gott androht, als er sterbend vor Schmerz nicht mehr ein noch aus weiß:

> Nimmt nicht der traurige Spaß ein End,
> so werd ich am Ende noch katholisch.[118]

---

[117] Rolf Hochhuth: O Deutschland, hoch in Ehren!, in: ders.: Schwarze Segel (1986), a. a. O, S. 170 f.

[118] Heinrich Heine: Gesammelte Werke, Bd. XI, Frankfurt am Main 1978, S. 333.

Kapitel 2

‚Geschichte ist, was uns mißglückt' – Hochhuth und die Historie

„Rolf Hochhuth ist ein Geschichtsfälscher"[119]. So beginnt Hayo Matthiesen den ‚Zeit'-Artikel ‚Das Elend, Hochhuth und die CDU' und gibt dieserart die Meinung vieler Zeitgenossen, nicht aber die seine, wieder. Hochhuth hat in seinem Stück ‚Die Hebamme' behauptet, daß in einem Kieler Obdachlosen-Lager 193 Menschen sich *eine* Wasserzapfstelle teilen und daß die Stadt Kiel in zwölf Jahren nur vier Millionen Mark für Obdachlose ausgegeben hat. Der Kieler CDU-Vorsitzende Wolfgang Hochheim dementiert, so Matthiesen, denn richtig sei vielmehr, daß für 198 Insassen *sechs* Zapfstellen zur Verfügung stehen, und Kiel 3,8 Millionen in zwölf Jahren *nur für Investitionen* aufgebracht hat. – Um geschichtliche Wahrheit und Fälschung auseinanderhalten zu können, lohnt sich denn ein genauerer Blick in die Materie Hochhuth.

[119] Hayo Matthiesen: Das Elend, Hochhuth und die CDU, in: Reinhart Hoffmeister (Hg.): Hochhuth (1980), a. a. O., S. 185.

2.1 Das Dokument als Wahrheitsattrappe

Unter dem Stichwort ‚Hochhuth, Rolf' wird man vom Theaterlexikon[120] verwiesen auf zwei – wie es scheint – synonyme Stichwörter: ‚Dokumentarisches Theater' und ‚Skandal'. Dieser Hochhuth scheint also wohl der erste[121] und letzte[122] Stückeschreiber jener Zunft zu sein, die durch die dokumentarische Verwendung von historischen Quellen – sprich von „unmittelbarem Sprachmaterial"[123] – Skandale zu bewirken vermag. Weshalb Hochhuth, zumindest von seiner Wirkung her, eigentlich zu den Absurden gezählt werden müßte. Denn so lange etwas geschieht in der Menschengeschichte, und sei es das Barbarischste, geschieht es beinahe ungehindert unter dem Schutzmantel des Faktischen. Erst als montierte Wiederholung löst das Geschehene Wirkung aus: Wogen der Empörung etwa über die Niederträchtigkeiten, die Hochhuth dem Papst in den Mund zu legen wagt. Der Autor geht her und weist diese lapidar als wortwörtliche Zitate aus dieser und jener Enzyklika nach. Aber damit nicht genug. Hochhuth macht nicht nur die geschehene *schlechte* Geschichte zum Thema, sondern auch die ungeschehene *bessere*. Das, was hätte sein können, ja sein müssen, soll durch die Darstellung entweder des unerträglichen Realen ex negativo (vgl. z. B. ‚Der Stellvertreter', ‚Soldaten') oder einer passablen Möglichkeitsform explizite (vgl. z. B. ‚Guerillas', ‚Judith') zur Diskussion gestellt werden. Eine zentrale Aufgabe von Literatur sieht der Autor in der Simulation von sozialen Extremsituationen, so „daß dem Leben erspart bleibt,

---

[120] Lothar Schwab / Richard Weber: Theaterlexikon. Kompaktwissen für Schüler und junge Erwachsene, Frankfurt am Main 1991.

[121] „In retrospect, Hochhuth thus became, against his own will and opinion, the father of documentary theatre." (Lucinda Jane Rennison: Rolf Hochhuth's Interpretation of History, and its Effect on the Content, Form and Reception of his Dramatic Work, University of Durham 1991 (Mikrofiche), S. 240.)

[122] „Von allen, die Anfang der sechziger Jahre mit ihm antraten, also Martin Walser, Heinar Kipphardt, Peter Weiss, und das Dokumentarische Drama als die erste Spielform des sich formierenden Politischen Theaters begründeten – von allen ist er der wirklich Überlebende." Günther Rühle: Der Bürger in Frageform, in: Rolf Hochhuth: Von Syrakus aus – gesehen, gedacht, erzählt, Reinbek bei Hamburg 1995, S. 275.

[123] Lothar Schwab / Richard Weber: Theaterlexikon (1991), a. a. O., S. 91.

sie ebenso auf die Spitze zu treiben."[124] Die Hochhuthsche Laterna magica benutzt die Katastrophe des Wirklichen, die immer von Menschen angerichtet wird, als Kontrastfolie zu einer utopischen Form des Erträglichen.

Nicht aus nachträglicher Besserwisserei – kein anderer Autor versetzt sich so realistisch, mit solch forscherischem Aufwand in den Zeithorizont seiner Figuren –, sondern aus ernstgemeinter Identifikation heraus will Hochhuth das geschichtliche Terrain noch einmal abschreiten, das Ganze erneut szenisch durchspielen, ohne natürlich den zeitlichen Vorsprung des Heutigen aufzugeben. Für den Betrachter bedeutet dieser Vorsprung lediglich zu wissen, wie die Geschichte ausgeht, nicht aber, was der Autor mit einem vorhat. Der diachronistische Graben zwischen geschichtlichem Stoff und dokumentierendem Autor stellt die Bedingungsmöglichkeit dar für eine je in Relation zu einer Gegenwart stehende tragische Gestaltung. Um Geschichte existentiell – und das heißt immer: für gegenwärtige Menschen – berührend zu gestalten, muß diese auf geeignete Art und Weise problematisiert werden. Die Formulierung dieser Destination borgt der Eschweger bei Max Rychner: „Geschichtliche Dichtung soll Gegenwart hergeben und gründen helfen."[125] Mit der planen Verwendung von Stoffen, Ereignissen und Jahreszahlen ist diesem Anspruch nicht Genüge getan. Denn Hochhuths Stücke wollen keine ennuyierende Aufzählung sein, sondern aufrüttelnde Abrechnung.

Menschengeschichte, wie sie war und ist, ist das Skandalöse. Dies zu demonstrieren, ist Hochhuth jedes literarische Mittel recht. Nur daß für einen großen Teil des Publikums gerade nicht das Geschehene, sondern dessen Darsteller selbst sich als unzumutbar erweist – wie man einst den Überbringer schlechter Nachrichten hinzurichten pflegte –, dieses kuriose Phänomen hat den Autor von seinem ersten Werk an verfolgt.

[124] Rolf Hochhuth: Judith (1991), a. a. O., S. 2133.
[125] Rolf Hochhuth: Judith (1991), a. a. O., S. 2201.

Hochhuth, „das Wissensmonster mit Vorliebe für Geschichte“[126], erhält die historische Taufe noch während seiner Zeit am Realgymnasium, das er bereits 1948 für die Schriftstellerei verläßt. Zu erwähnen sind hier sein Geschichtslehrer, Josef Müller-Fleissen, der ihn für die Antike aber auch für die moderne Literatur begeistern kann, sowie der Historiker und Architekt Ernst Wenzel. Hochhuths Arbeitskollege während seiner Lektortätigkeit bei Bertelsmann in Gütersloh, Herbert Reinoß, schildert, nicht frei von Ressentiment, Hochhuths „auffallende physische und geistige Flinkheit“ sowie seine „humorige Scharfzüngigkeit“[127]. Was die Herkunft Hochhuths tief pessimistischen Menschen- und Weltbildes betrifft, so gibt uns Reinoß aufschlußreiche Hinweise: „Geschichte ist bekanntermaßen sein zentrales Thema, immer wieder Geschichte [...]. Ich erinnere mich an seine Äußerung, daß er früh, *allzu* früh, in Geschichtsbüchern von jenen altorientalischen Despoten gelesen habe, die den Besiegten die Köpfe abschlugen und die Frauen und Kinder unter die Soldaten verteilten. So wurde er auf die Schicksale von Menschen gestoßen, die einer äußersten Brutalität ausgeliefert sind. In Alt-Babylon, Alt-Samarkand, Auschwitz und so fort. Der Mensch zu allen Zeiten des Menschen Wolf. Kann man das je aus der Welt bekommen? Oder ist es im unveränderbaren Sosein des Menschen begründet? Er scheint an Letzteres zu glauben: Der Mensch wird sich niemals ändern.“[128]

2.2 Der Ursprung der Tragödie aus dem Grauen vor Gewalt

Die sisyphushafte Mühsal, uns Heutigen die Gegenwart vergangener Menschen näherzubringen, umfaßt mehr als nur die penible Aneinanderreihung von Geschehnissen. Es ist die Kunst, durch bannendes Erzählen Atmosphä-

[126] Toni Meissner: Rolf Hochhuth als Erzähler und Journalist, in: Hochhuth: Syrakus (1995), a. a. O, S. 279.

[127] Herbert Reinoß: Über Rolf Hochhuth. Erinnerungen und Anmerkungen aus Anlaß seines 60. Geburtstags, in: Rolf Hochhuth: Panik (1991), a. a. O., S. 768.

[128] Herbert Reinoß: Über Rolf Hochhuth (1991), a. a. O., S. 768.

re zu schaffen, den Jahreszahlen – mit Walter Benjamin gesprochen – ihre Physiognomie zu geben. Bereits in Hochhuths Debüt 1959 mit dem Prosastück ‚Resignation oder die Geschichte einer Ehe' – von seinen literarischen Gehversuchen wie ‚Inventur' oder ‚Victoriastraße 4' einmal abgesehen –, welches 1974 in einer erweiterten Fassung unter dem Titel ‚Zwischenspiel in Baden-Baden' erscheint, offenbart sich Hochhuths literarische Quelle, „die schaudervollste Vaterfigur, die denkbar ist: Mein Vater heißt Hitler. Für mich, den ehemaligen Pimpf in Hitlers ‚Jungvolk', den Schwiegersohn einer von Hitler Enthaupteten, den jugendlichen Augenzeugen vom Abtransport der Juden – für mich liegt die Auseinandersetzung mit Hitler allem zugrunde, was ich schrieb und schreibe."[129]

Im selben Jahr beginnt Hochhuth während eines dreimonatigen Urlaubs die Nachforschungen für den ‚Stellvertreter' vor Ort in Rom. Die Ausgangssituation: Der Antijudaismus der katholischen Kirche gipfelt in der Lethargie Pius' XII. angesichts der massenweisen Deportation und Ermordung von Juden – selbst vor den Toren des Vatikans. ‚Der Stellvertreter' bewirkt einen epochalen Ruck in den Köpfen einer ganzen Nation, ihm ist es zu verdanken, „daß auf dem bundesrepublikanischen Theater Politik wieder zum Thema und die Phase fast zwanzigjähriger Verdrängung der faschistischen Vergangenheit überwunden wurde."[130] Allein dieses Erstlingsstück löst international eine derart gigantische Reaktionsflut aus, daß es eine fahrlässige Untertreibung Hochhuths zu sein scheint, wenn er den Schriftsteller als „Wirkungslosigkeit in Person"[131] bezeichnet. Wo doch schon Heinrich Böll seinem Kollegen zugestand: „Im ‚Stellvertreter', in den ‚Soldaten' hat

[129] Mein Vater heißt Hitler. Fritz J. Raddatz im Gespräch mit Rolf Hochhuth, in: Die Zeit, Hamburg 9. April 1976, S. 5. „Hochhuth's fascination with figures of historical, political and literary authority and his examination of the possible benevolent use of absolute power [...] appear as a logical consequence of his early exposure to dictatorship and to the personality of Hitler." (Lucinda Jane Rennison: Interpretation (1991), a. a. O., S. 256 f.)

[130] Jan Berg: Geschichts- und Wissenschaftsbegriff bei Rolf Hochhuth, in: Heinz L. Arnold / Stephan Reinhardt (Hg.): Dokumentarliteratur, München 1973, S. 59.

[131] Günter Gaus im Gespräch mit Christa Wolf, Rolf Hochhuth, Kurt Maetzig, Wolfgang Mattheuer, Jens Reich. Porträts 5, Berlin 1993, S. 35.

Hochhuth die Geschichte, hat er die Historiker herausgefordert, mutig sich den Fluten der Archive gestellt, Kontroversen bis ins letzte irische Dorf verursacht"[132].

In einem fünfzigseitigen Anhang zu dem ,christlichen Trauerspiel', den ,Historischen Streiflichtern', gibt er, was in dieser Ausführlichkeit ein Novum darstellt, Einblick in das Zustandekommen des Stücks. Daß er so gut wie alle einschlägigen Biographien, Tagebücher, Gerichtsprotokolle usw. studiert hat, soweit sie zugänglich sind, ist für Hochhuth eine Selbstverständlichkeit. Der Dichter unterscheidet sich nun aber vom Historiker durch seine Genialität, dieses erdrückende Rohmaterial zu sortieren *und* zu einem Drama zu verdichten. Indem er seine Phantasie vorwiegend für die bühnentechnische Umsetzung einsetzt, bleibt die Wirklichkeit „stets respektiert, sie wurde aber entschlackt."[133] Da aber die Historie selbst, in ihren Dokumenten, nie die volle Wahrheit spiegelt, so kann auch das Dokumentarstück zunächst nur so weit wahr sein, wie es das Historische nicht fälscht. Auf die Frage von Irmtraud Rippel-Manß, ob es Hochhuth bei der Beschäftigung mit Geschichte vorrangig um Aufklärung gehe, antwortet dieser: „Darstellung geschichtlicher Ereignisse, wenn sie wahr, also tendenzfrei geschieht, ist immer Aufklärung"[134]. Das bloße Erwähnen von Tatsachen zeigt sich dort als leuchtende Subversion, wo das herrschende Establishment den Lauf *und* den Kommentar der Geschichte bestimmt und auf die komplizenhafte Reglosigkeit der ,Normalverbrauchten' baut.

Hochhuth sieht sich in der Tradition von Phrynichos ,Der Fall von Milet', dessen Erst- und Letztaufführung im Jahre 492 v. u. Z. stattfindet. Die Bühnenwirkung dieser wahrscheinlich ersten Tragödie überhaupt ist überwältigend, fast eine Parallele zu Hochhuths erstem Stück. Das Publikum ist erschüttert und weint, wie Herodot überliefert, der Dichter muß tausend Drachmen Strafe zahlen und das Manuskript vernichten. Jacob

[132] Heinrich Böll: Hochhuth in der Geschichte, in: Walter Hinck (Hg.): Eingriff (1981), a. a. O., S. 22.

[133] Rolf Hochhuth: Historische Streiflichter, in: ders.: Stellvertreter (1995), a. a. O., S. 229.

[134] Rolf Hochhuth: Herr oder Knecht der Geschichte?, in: Walter Hinck (Hg.): Eingriff (1981), a. a. O., S. 10.

Burckhardt sieht darin die Furcht vor der Zeitgeschichte am Werke, „weil sie erweislich zu stark wirkte."[135] Das ist der Grund, warum noch heute die Theaterhäuser und ihr Publikum vergangene Klassiker und anderes Unbedenkliches anstelle von unangenehmem Zeitgenössischem bevorzugen. „Verboten werden Stücke, seit Stücke geschrieben werden. [...] Und nicht nur hat die Politik dieses erste Drama geschaffen; sie hat – selbstverständlich – es sofort auch verboten, schon am Tage der Uraufführung! [...] Die Urteilsbegründung ist das höchste Lob, das überhaupt die Gesellschaft an ein Drama zu vergeben hat: sie erzwang seine Ächtung für alle Zeiten – damnatio memoriae –, also Tilgung des Textes, weil sie es nicht ertrug, daß der Autor ‚vaterländisches Unglück auf die Bühne gebracht' habe."[136] Schon Aischylos hat seine Lektion gelernt, wenn er in ‚Die Perser', dem ältesten *überlieferten* Geschichtsdrama der Weltliteratur, die Niederlage der Feinde schildert, nicht die der Verbündeten. Auch weiß man von Maecenas, „daß er als kultureller Berater dem Kaiser Augustus ausschließlich solche Poeten zur Förderung empfohlen hat, die garantiert nichts Gegenwärtiges gestalteten, sondern Mythisch-Sagenhaftes oder das ‚zeitlose' Landleben: Vergil, Horaz, Properz."[137]

Nietzsche hat, so Hochhuth, aus Operndienerei, Wagner-Anbiederung und wider besseres Wissen den Ursprung der Tragödie aus dem Entsetzen über den Krieg schlicht weggefälscht und verharmlost zugunsten des ‚Geistes der Musik', „die noch nie irgendwo auf der Welt einen Machthaber mit Schrecken erfüllt hat [...] So konnte Richard Strauß ‚unter' Hitler dirigieren, doch Thomas Mann nur emigrieren"[138]. Der Wegzug ins zeitlich Entlegene bietet dem Künstler ein beschirmtes Refugium, zumal er so den Herrschenden keine Scherereien macht und folglich auch keine bekommt. „Doch sogar auch höchst bedeutende und moralisch absolut integre Autoren flüchten sich zuweilen, ja meist aus politisch-kriegerisch aufgeregten

[135] Rolf Hochhuth: Die Geburt der Tragödie aus dem Krieg. Politische Dramen von Aischylos bis Sartre, in: ders.: Tell gegen Hitler (1992), a. a. O., S. 7.

[136] Rolf Hochhuth: Geburt der Tragödie (1992), a. a. O., S. 8.

[137] Rolf Hochhuth: Projektionen: Werturteile entnimmt jeder seiner Zeit, in: ders.: Julia (1995), a. a. O., S. 177.

[138] Rolf Hochhuth: Geburt der Tragödie (1992), a. a. O., S. 16 u. 24.

Zeitaltern in die Vergangenheit, so Vergil, als er die ‚Aineas' schrieb, so die Brüder Mann und Brecht, als sie während der Hitlerjahre mit der Joseph-Tetralogie, mit ‚Lotte in Weimar', mit ‚Henri Quatre' und ‚Mutter Courage' und ‚Galilei' abwanderten aus der Zeit, in der sie Terror erlebten und litten. [...] wie Hermann Hesse, der bis Kriegsende in Hitlers Berlin publizierte, ohne jemals eine Silbe gegen die Nazis gesprochen oder geschrieben zu haben, obgleich er in seinem Tessin so sicher vor ihnen war wie die Schweizer Kantonalbank."[139] Wahrscheinlich deshalb, weil er geschichtlich so unproblematisch ist, sichert Hesses Werk nach wie vor Höchstauflagen und dem Suhrkamp Verlag das Überleben.

Weil Phrynichos Stück – dokumentarisch – vor Augen führt, was an menschlicher Barbarei geschieht, führt es – im Gegensatz zur wirklichen Kriegshandlung – überhaupt erst zu einer Reaktion. Die vermeintlich *bloße* Wiederholung bringt die geschehene Wirklichkeit zu ihrem Recht, Gegenstand des beurteilenden Bewußtseins zu sein. Das dokumentarische Stück hat originär tribunalische Funktion.

Hochhuth hält sich beinahe rigide an die ästhetische Regel seines Gewährsmanns, Thomas Mann: „Man soll sich nichts ausdenken, sondern soll aus den Dingen etwas machen."[140] Daß die geschichtlichen Vorgaben mit der künstlerischen Autonomie in Konflikt geraten, liegt in der Natur der Sache, die Frage aber ist, wie Hochhuth die Akzente setzt: „Vielleicht bin ich der erste Stückschreiber, der stets darauf beharrt hat, daß uns *keine* willkürliche Behandlung der Historie mehr zusteht. Wenn Lessing schrieb, der Dichter sei der Herr der Geschichte – ich habe mich stets als ihr Knecht gefühlt. Und das hat seinen Preis, den selbst Große bar zahlen mußten: je sklavischer man den Tatsachen der Historie Mitspracherecht auch im Kunstwerk einräumt, je verdrossener muß man mit Schiller seufzen: ‚Meine Geschichte hat viel Dichterkraft in mir verdorben.'"[141] Kunst und Wahrheit fallen für Hochhuth in eins, ihr Gegenteil ist nicht die Phantasie, son-

[139] Rolf Hochhuth: Geburt der Tragödie (1992), a. a. O., S. 17 u. 33.

[140] Rolf Hochhuth: Zu ‚Soldaten': Gegen die ‚Neue Zürcher Zeitung', in: ders.: Krieg und Klassenkrieg. Studien, Reinbek bei Hamburg 1971, S. 194.

[141] Rolf Hochhuth: Zu ‚Soldaten' (1971), a. a. O., S. 193.

dern die Willkür. „Kunst", so Fritz Raddatz, „muß in seinem [Hochhuths] Verständnis die Realität verzehren"[142]. So erlaubt er sich, im Gegenteil zum reinen Dokumentartheater, durchaus die Verlagerung geschichtlicher Schauplätze, die Erfindung zusätzlicher Personen, aber allein nur deshalb, um die historische Quintessenz noch prägnanter herausstellen zu können. Keinem Künstler wäre bewußte Geschichts*fälschung* weniger zuzutrauen als Hochhuth. Martin Walser hat diese Vertrauenswürdigkeit so ausgedrückt: „Geschichte sollte man von jetzt an füglich Hochhuth überlassen."[143]

Es soll nicht unterschlagen werden, daß es auch ebenso skeptische Stimmen gibt, die im dokumentarischen Theater ein Mißverständnis des Theaters bzw. sogar die Abschaffung der Kunst sehen, zumal hier das Kunstwerk zu einem bloßen Faktum reduziert würde, am eingängigsten, weil verkürztesten, in Theodor Adornos Diktum dokumentiert: ‚Das Barbarische ist das Buchstäbliche'. Ein Urteil, das, wenn überhaupt auf eine Kunst, auf Marcel Duchamps ‚Ready-mades' zuträfe, diesen aber ihren kritischen Gehalt absolutistisch abspräche.

Heiner Müllers Kritik ist ein Appell, aufgrund der Dringlichkeit der anstehenden Probleme, keine Zeit durch den Umweg über ‚vergangenheitsgeschichtliche' Stoffe zu verlieren: „Geschichtsdrama ist ein Begriff, mit dem ich praktisch nicht viel anfangen kann, weil vom Theater her gesehen jedes Drama ein Gegenwarts- und damit ein Geschichtsdrama ist. [...] Ich glaube nicht mehr, daß man heute noch vergangenheitsgeschichtliche Stoffe in aller Ruhe bearbeiten kann, weil nämlich die Zeit sehr drängt. [...] Und da fände ich es parasitär, wenn man jetzt ein Stück schreibt über Spartakus, über Friedrich den Großen, über Thomas Müntzer oder wen immer."[144]

---

[142] Fritz J. Raddatz: Der utopische Pessimist, in: Walter Hinck (Hg.): Eingriff (1981), a. a. O., S. 40.

[143] Martin Walser: Brief an Fritz J. Raddatz, in: Fritz J. Raddatz (Hg.): Summa iniuria (1963), a. a. O., S. 47.

[144] Geschichte und Drama: Ein Gespräch mit Heiner Müller, Basis 6, Frankfurt am Main 1976, S. 48 ff.

Ferdinand Fasses Beanstandungen sind so amüsant wie haltlos: „Der Streit um Dokumente ließ das Dokument selbst zum ästhetischen Prinzip werden, dem die poetische Freiheit zum Opfer fiel, und das dem Theater das Exemplarische vorenthielt. Die schulmeisterliche Art, mit der beispielsweise Hochhuth sein Geschichtswissen dokumentiert, illustriert nur eine Seite des historischen Kolloquiums, zu dem das dokumentarische Theater vielfach degenerierte. Das Publikum tat mit dem Einsatz seines Geschichtswissens ein übriges, um dem Theater den Charakter einer Schulklasse zu geben."[145] Mit dem Unterschied, daß die Schüler in Hochhuths Unterrichtsstunden nicht – wie sonst üblich – zu indolenten Staatsbürgern verzogen werden, sondern eine gehörige Ladung gesellschaftliches Dynamit mit auf den Weg bekommen.

Natürlich haben Bischof Bell und Churchill niemals auf der Terrasse debattiert, und keine Judith hat bisher einen US-Präsidenten getötet. Solche Hochhuthsche Varianten des Geschichtlichen liegen in der Konsequenz eines kritisch-kreativen Weiter- und Zuendedenkens, das sich an die zweite Mannsche Maxime lehnt: „Alles Stoffliche ist langweilig ohne ideelle Transparenz."[146] Eine szenische Verfremdung oder eine absurd-surrealistische Verzerrung liegen dem Bekenner Hochhuth jedoch fern, zumal seine Kunst „es auf eine Wahrheit abgesehen (hat), die kein Psychologe und kein Historiker sichtbar machen kann. [...] Wem das zu wenig oder zu viel ist, der möge sich in Salzburg erbauen."[147] Auch Golo Mann konstatiert als Grund, warum Hochhuths Stücke das Publikum mehr ansprechen als jede noch so gründliche Studie etwa des Institutes für Zeitgeschichte, die „Gestaltung dieser furchtbaren Geschichte, die vor Hochhuth noch

[145] Ferdinand Fasse: Geschichte als Problem von Literatur. Das ‚Geschichtsdrama' bei Howard Brenton und Rolf Hochhuth, Frankfurt am Main 1983, S. 206.

[146] Rolf Hochhuth: Zu ‚Soldaten' (1971), a. a. O., S. 194.

[147] Walter Muschg: Hochhuth und Lessing, in: Rolf Hochhuth: Stellvertreter (1995), a. a. O., S. 296.

kein Historiker, kein Romancier hat gestalten können. Die Macht des Wortes, die diesem Gegenstand gegenüber bisher immer versagen mußte, hier versagt sie nicht."[148]

2.3 Der Einbruch des einzelnen in die geschichtliche Totalität

Als *Verdichter* der Geschichte operiert Hochhuth auch in dem 1964 begonnenen Stück ‚Soldaten', wo er sich nun – innerhalb einer Regieanweisung – explizit vom absurden Theater distanziert, mit der gewagten Behauptung, daß dies, was sich hier *absurd* nenne, tatsächlich doch nur *gegenstandslos* sei. „Absurd sind Dasein und Exitus des Menschen in der Geschichte. Und ist seine Hoffnung, trotz der Geschichte."[149] Menschen, die wider alle geschichtliche Erfahrung hoffen: Sie vermögen selbst dem gewandten Pessimisten Hochhuth allerhöchsten Respekt abzuverlangen. Denn gerade jenen Einzelschicksalen, die an der absurden Geschichte leiden, gilt sein innigstes literarisches Engagement. Daß wir Geschichte, daß wir ein Gedächtnis haben, unterscheidet uns vom Tier und versetzt uns in die Schuldigkeit, diese Fähigkeit für jene einzusetzen, die von Krieg, Krankheit oder Armut zerstört werden. Die Erfüllung dieser furchtbaren Pflicht war und ist der Motor seines schriftstellerischen Schaffens, der Garant für dessen künstlerische Qualität und moralische Relevanz. Aber er bleibt sich auch hierbei über das Machbare im klaren, zumal „die politische Geschichte, wie noch jede Liebesgeschichte, das eigentlich Aufschreibenswerte für sich behält."[150]

Hochhuths zynisch klingende These von der Geschichte als ‚Potenzverschleiß' spitzt sich zu im Dialog des aufsässigen Dichters und Bischofs von Chichester, George Kennedy Allen Bell, einem Freund Karl Barths, mit dem britischen Premierminister (PM) Winston Churchill: „Bell: [...] Gal-

[148] Golo Mann: Die eigentliche Leistung, in: Rolf Hochhuth: Stellvertreter (1995), a. a. O., S. 12.
[149] Rolf Hochhuth: Soldaten (1991), a. a. O., S. 594.
[150] Rolf Hochhuth: Soldaten (1991), a. a. O., S. 585.

lier und Teutonen – / wie nahe lag doch ihr Zusammenschluß: / doch weil das Interesse beider gegen Krieg sprach, / deshalb führten sie ihn. / Den Aggressionszwang im einzelnen baut das Alter ab, / den der Staaten ihre Ausblutung. / PM (sieht fragend auf): / Geschichte demnach – ein Strategem der Natur? / Und die Täter blind, damit sie den Auftrag vollziehen? [...] Warum denn sonst am roten Fluß der Weltgeschichte, / wie er stromab geht seit Jahrtausenden, nicht ein Haus, / eine Stadt, nicht eine Brücke, die nicht Ruine wurden. / Warum!"[151] Das Fragewort ‚warum' mit Ausrufezeichen unterstreicht nicht nur das Rhetorische der Frage, sondern auch die unausweichliche Resignation, die einen befallen muß, wenn man Geschichte auf das Ganze, nämlich auf ihren Sinn hin betrachtet. Die Tragik jedoch wird immer nur vom Individuum erfahren, das im beherzten Kampf gegen die gleichgültige Natur unterliegt. Weshalb Hochhuth auch jenen, die den konkreten einzelnen übergehen – Brecht, Dürrenmatt und Frisch[152] etwa durch ihre parabelhafte Abstraktion, Hegel, Adorno, die ihn ihrem Denksystem opfern, – jegliches Verständnis für das Tragische abspricht. Was ihn von Brecht insbesondere abstößt, so schreibt Hochhuth einmal in einem Brief an Siegfried Melchinger, ist dessen Geschichtsoptimismus.

„Wer eine Tragödie überlebt, ist nicht ihr Held gewesen"[153], sinniert Churchill und muß sich daraufhin von seinem Vertrauten Clark fragen lassen: „Premierminister, / wenn Sie eine derart miese Meinung von ihr haben, / darf ich gehorsamst fragen: / *warum machen* Sie dann Geschichte?"[154] Antwort: „Weil ich sie auch noch *schreiben* will"[155]. Churchills zwölf Bände ‚Der Zweite Weltkrieg' sind denn zwar Siegergeschichte, aber die der *humanen* Partei. Ausnahmsweise.

---

[151] Rolf Hochhuth: Soldaten (1991), a. a. O., S. 703.

[152] „The Swiss dramatist Max Frisch, likewise a disbeliever in ideology and likewise opposed to the vogue of the Absurd, treated it in his play *Andorra*, first performed in Germany in 1962. But Frisch believed that the author could remain aloof from politics [...] But with its use of parable, *Andorra* did not elicit the same overwhelming response that greeted Hochhuth's *Stellvertreter* just a year later." (Margaret E. Ward: Introduction: The Search for Truth through History, in: dies.: Rolf Hochhuth, Boston 1977, S. 23.)

[153] Rolf Hochhuth: Soldaten (1991), a. a. O., S. 622.

[154] Rolf Hochhuth: Soldaten (1991), a. a. O., S. 623.

[155] Rolf Hochhuth: Soldaten (1991), a. a. O., S. 623.

Kräfteverschleiß als *einzigen* Zweck der Geschichte zu postulieren, hält aber auch Hochhuth selbst für eine allzu verkürzende Sichtweise, doch lehrt für ihn jede Geschichtsepoche, daß Mächte wie Menschen erst nach einer monströsen energetischen Entladung – ‚Aktivismus gegen das innere Vakuum' –, die ja immer eine Katastrophe für die unterlegenen Betroffenen bedeutet, zu Domestizierung und Frieden bereit sind. Bett und Schlachtfeld sind die zwei wesentlichen Aktionszentren vitaler Entladung:

> Resultat: Zwei Kriege – Orgasmen des Killens,
> Verlust des Ostens: was sonst hat's erbracht?
> Was sonst blieb übrig vom Veitstanz des Lebens
> – uns Aktivisten gegen's innere Vakuum?
> Urnen und Schrott und als Reimwort: vergebens
> dem Volk wie dem Individuum.[156]

Per definitionem zieht der herrische Gang der Geschichte als ‚Potenzverschleiß' in der Hauptsache das männliche Geschlecht in die Verantwortung, zumal „jeder Blick in jedes Geschichtsbuch zeigt, daß der Mann unvergleichlich stärker als das Weib haftbar ist für die Tränen der Menschheit."[157]

In die Entstehungsphase der ‚Soldaten' fällt auch der Beginn der in ihrer Relevanz kaum zu überschätzenden Freundschaft mit dem um sieben Jahre jüngeren britischen Historiker, Schriftsteller, Journalisten David Irving. Ebenso umstritten wie genial sind seine durch ungeheure Detailkenntnis ausgezeichneten Werke: etwa sein Dresden-Buch von 1963, ‚Hitler's war' von 1977, seine Rommel-Biographie. Der Autor wie sein Verlagshaus Cassell werden durch eine gerichtliche Klage wegen seiner Darstellung der PQ-17-Geleitzugskatastrophe vom Juli 1942 finanziell ruiniert. Ein Schicksal, das auch Hochhuth des öfteren schon um Haaresbreite ereilt hätte.[158]

---

[156] Rolf Hochhuth: Liebe baut Zelte, kein Haus, in: ders.: Panik (1991), a. a. O., S. 217.

[157] Rolf Hochhuth: Frauen und Mütter, Bachofen und Germaine Greer. Studie zu einer neuen Lysistrate, in: ders.: Dramen 1 (1991), a. a. O., S. 1562.

[158] Vgl. z. B. Rosemarie von dem Knesebeck (Hg.): In Sachen Filbinger gegen Hochhuth. Die Geschichte einer Vergangenheitsbewältigung, Reinbek bei Hamburg 1980.

Einmal allerdings muß Hochhuth sich von seinem britischen Freund – in der Sache – distanzieren, als dieser behauptet, Hitler sei erst 1943 über die Massenvernichtung der Juden informiert worden, obwohl der Führer bereits in öffentlichen Reden und Radioansprachen Jahre zuvor die Ausrottung des Judentums befahl. Tatsächlich aber hat Hitler keinen derartigen Befehl je *schriftlich* bestätigt. Aus Hochhuths Aufzeichnungen: „Wütender Brief Golo Manns, wieso ich mich nicht öffentlich von David Irvings wahrhaft absurder Vermutung distanzierte, Hitler habe erst 1943 erfahren, daß Himmler seit Februar 1942 die Juden vergaste. Ich sende ihm die zwei ‚Weltwoche'-Artikel, in denen ich das getan habe. Weise aber auch darauf hin, daß Irving neulich in einem Luftkriegs-Buch, ‚Von Guernica bis Vietnam', schrieb: ‚Unsere Zivilisation ist von dem Schrecken, den der Verlust von 90 Menschenleben in Guernica auslöste, über den Mord an sechs Millionen Juden bis hin zu dem Gleichmut fortgeschritten, mit dem man im nächsten großen Konflikt dem Verlust von mehr als einer Million Menschen in den ersten Stunden entgegensieht.' Auch spricht Irving dort von ‚*Hitlers* Endlösung', nicht von Himmlers."[159] Was Irving unter den Historikern, das ist Hochhuth unter den Literaten: ein Außenseiter. Und daß Devianz und Qualität sich oft gegenseitig bedingen, muß hier nicht weiter ausgeführt werden.

„Sein Tod blieb bislang ungeklärt"[160] heißt es in einem Lexikon in bezug auf den Vorsitzenden der polnischen Exilregierung in Churchills London, Wladyslaw Sikorski. Eine historische Unsicherheit, die auf die Recherchen von Irving und Hochhuth zurückgeht, zumal die offizielle, d. h. britische und von der Welt geglaubte Version über zwanzig Jahre lang ‚Flugzeugabsturz' lautet. Neben Dresden bildet Sikorski das zweite tragische Moment in ‚Soldaten'. Hochhuth entwickelt die indizienmäßig nachvollziehbare These, daß Sikorski, der kompromißlos die Wiederherstellung Polens gemäß den Grenzvereinbarungen des Rigaer Friedens von 1921 fordert sowie die russischen Massaker an polnischen Offizieren und Soldaten anklagt

---

[159] Rolf Hochhuth: Europa – dahin?, in: ders.: War hier Europa? Reden, Gedichte, Essays, München 1987, S. 12.

[160] Meyers großes Taschen-Lexikon in 24 Bänden, Bd. 20, Mannheim 1987, S. 166.

und dadurch die Alliance mit Stalin massiv gefährdet, vom britischen Geheimdienst beseitigt wird. Auf dem Weg nach Moskau muß Sikorskis Maschine notlanden, „erster von mindestens *sechs* Flug-‚Zwischenfällen', die ihm auf vier hintereinander erfolgten Reisen in Maschinen, die ihm, von der Downingstreet gestellt, gewartet, bemannt wurden als VIP-Flugzeug, noch zustoßen sollten, bis er endlich zum Schweigen und zum Staatsakt in die Westminster Abbey gebracht worden war ... der lästige Mahner."[161] Einmal findet man eine Bombe an Bord, einmal brennt Sikorskis Maschine über dem Atlantik, ein anderes Mal stürzt sie in Montreal ab, aber keiner wird verletzt. „Endlich eine Wasserung unweit der Küste, bei der sämtliche Insassen umkamen, nicht aber die zwei Piloten, die über die Tragflächen aussteigen konnten bei minutenlang treibender Maschine, ehe sie in unbewegter See, die dort nur acht Meter tief ist, absinkt – währenddessen keiner der polnischen Insassen einen der sechs Ausstiege zu öffnen versucht."[162] Das ist für Hochhuth die klassische Konstellation für eine Tragödie: Beide Seiten vertreten moralisch nachvollziehbare Positionen – Churchill, der Hitler mit allen zur Verfügung stehenden Mitteln besiegen muß, Sikorski, der seine Landsleute und sein Land verteidigt –, doch beide können nicht nebeneinander bestehen.

Hochhuths Vorwurf, Churchill – den er nichtsdestoweniger verehrt[163] – habe seinen Exil-Gast Sikorski ermordet und Dresden ohne militärische Notwendigkeit weggebombt, führt in London zum Eklat. 1968, als *Lord Chamberlain*, das ist die seit 1737 bestehende amtliche Theaterzensur Groß-

[161] Rolf Hochhuth: Sikorski und Churchill, in: ders.: Täter und Denker. Profile und Probleme von Cäsar bis Jünger, Reinbek bei Hamburg 1990, S. 117.

[162] Rolf Hochhuth: Sikorski (1987), a. a. O., S. 119.

[163] „Erlauben Sie mir eine letzte Frage. Wessen Mitarbeiter in der Geschichte, in der Zeitgeschichte, in der Politik hätten Sie gern sein mögen, Herr Hochhuth? [...] Ich wäre gern der Mitarbeiter eines Mannes gewesen, der der Menschheit einen ungeheuerlichen Dienst erweisen konnte, und das, fand ich, war Churchill. Churchill hat nicht irgendeinen Gegner totgetreten, sondern den Installateur von Auschwitz. Und das war ein Dienst an der Menschheit, und dann hat Churchill den unbeschreiblichen Ruhm, den kein anderer hat, er war der einzige Eroberer überkontinentalen Zuschnitts, vom Suezkanal bis zur Elbe, der für sein eigenes Land kein einziges fremdes Dorf annektiert hat, ein Ruhm ohne Beispiel. Ich wär gern sein Arzt gewesen." (Gaus im Gespräch (1993), a. a. O., S. 58).

britanniens, die Aufführung von ‚Soldaten' untersagen will, wird die Zensurbehörde auf parlamentarischen Beschluß hin selbst abgeschafft. Man werde sich dessen bewußt: Aufgrund eines Theaterstücks eines Deutschen! In der Folge wird Hochhuth von Prchal, dem tschechischen Piloten der Todesmaschine, von dem Historiker Trevor-Roper, einem britischen Geheimdienstmitglied, und von einem Bankier, dessen Memoiren er verwendet hat, verklagt und in Abwesenheit zu einer aberwitzigen Geldstrafe verurteilt.

„Machen Geschichte einzelne?"[164] beziehungsweise „Gibt es Geschichte, die nicht von einzelnen gemacht wird?"[165], so fragt Hochhuth herausfordernd im Nachwort zu seiner ‚Judith', einer in unsere Zeit übersetzten Fassung des deuterokanonischen Buches. Im Prolog wird jener russischen Judith, Jelena Masanik, gedacht, die 1943 den NS-Generalkommissar von Minsk, dessen Hausmädchen sie war, durch eine in der Bettmatraze angebrachte Tellermine tötete. Das Stück ‚Judith' selbst spielt 40 Jahre später und schildert die Planung und Durchführung eines Attentats auf den US-amerikanischen Präsidenten Ronald Reagan, nachdem er die Produktion von chemischen Kampfstoffen veranlaßt hat. Hochhuth fragt, ob der einzelne nicht dadurch schuldig werden kann, daß er, obwohl er es könnte, nicht in den Gang der Geschichte eingreift. Warum fühlen sich ein Maurice Bavaud oder ein Georg Elser persönlich zuständig, unter qualvollster Aufopferung ihres Lebens Hitler aus der Welt zu schaffen, während dutzende Millionen Deutscher dies als entsetzlichen Frevel empfinden? Und wäre eines der Attentate geglückt, hätte die Weltgeschichte nicht einen anderen Lauf genommen? Wäre der einzelne nur ein Rädchen im anonymen Gesellschaftsprozeß, dann gäbe es keine Berechtigung, Kriegsverbrechen zu ahnden. Anonym ist für Hochhuth „allenfalls der Eisberg, der die ‚Titanic' aufschlitzte, anonym aber kann nie sein, was Menschen machen"[166]. Auch wenn er den Menschen „in der Haft jener Krankheit, die Geschichte

[164] Rolf Hochhuth: Judith (1991), a. a. O., S. 2350.
[165] Rolf Hochhuth: Judith (1991), a. a. O., S. 2350.
[166] Rolf Hochhuth: Judith (1991), a. a. O., S. 2350.

heißt"[167], gefangen sieht und er offen mit Goethe sympathisiert, wenn der Geschichte als „verworrenen Quark", „Gewebe von Unsinn" oder gar als „das Absurdeste, was es gibt"[168] betitelt, – der einzelne Mensch hat für ihn unantastbaren Wert qua Existenz. Hochhuths Geschichtsbild mag dort irritieren, wo er, mit Spengler oder Burckhardt etwa, den Sinn einer Weltgeschichte als Naturgeschichte im ganzen tief pessimistisch, weil kennerisch, reflektiert. Seiner in der Weltliteratur einmaligen Einfühlungsfähigkeit in das geschundene Einzelschicksal hat das aber in keiner Phase geschadet. „Rolf Hochhuth ist durchdrungen davon, daß das Recht jedes einzelnen auf *sein* Leben verwirklicht werden muß, wenn schon die Geschichte als Ganzes kein Ziel, keine Erlösung bereitzuhalten scheint."[169] Hochhuth stützt sein Geschichtsgebäude auf die Einsicht Schopenhauers: „Jeder einzelne Akt hat einen Zweck, das gesamte Wollen keinen"[170].

An Cicero zeigt er, daß die sinnlose Geschichte nie tragisch an sich, sondern tragisch immer nur für einen einzelnen sein kann, in dessen Bewußtsein sie gelangt. Die Tragik besteht nicht in dem Faktum, aber in der resignativen Erkenntnis, „daß Geschichte keinen Sinn habe, sondern nur einen einzigen Zweck: Energie-Verschleiß; jede Generation arbeitet sich – ohne Blick auf vorangegangene oder künftige Generationen – zu Tode an jenem Sisyphos-Felsbrocken, den sie Geschichte nennt."[171] Die Sinnleere des geschichtlichen Ganzen umfaßt nicht die einzelnen in ihm, sondern der einzelne, der das Ganze zu fassen sucht, resigniert – an dessen Elend, nicht an dessen Ausmaß. Denn „Sisyphus ist für Hochhuth nicht nur die ‚mythische Figur' eines Scheiternden, sondern auch ‚die politisch vorbildlichste' eines Kämpfenden [...] Hochhuth glaubt zwar an keine universelle Heilsgeschichte (und damit auch an keine lenkende Hand, die das Versagen der

[167] Rolf Hochhuth: Sommer (1991), a. a. O., S. 2973.

[168] Vgl. Rolf Hochhuth: Goethes Verstummen vor der Geschichte, in: ders.: Täter (1990), a. a. O., S. 250 ff.

[169] Dietrich Simon: Hochhuth-Brevier, in: Rolf Hochhuth: Syrakus (1995), a. a. O., S. 282.

[170] Rolf Hochhuth: Wellen: Ist Geschichte Naturgeschichte?, in: ders.: Wellen. Artgenossen, Zeitgenossen, Hausgenossen, Reinbek bei Hamburg 1996, S. 19.

[171] Rolf Hochhuth: Zum 7. Dezember: Cicero wird ermordet, in: ders.: Syrakus (1995), a. a. O., S. 116.

Menschheit ausgleichen könnte), wohl aber an die Erreichbarkeit von historischen Nahzielen (unter denen so große sein können wie der Sieg über Hitler)."[172] Hat auch die ganze Geschichte keinen Sinn, so ist es für Hochhuth nichtsdestotrotz geboten, die Bombardierung von Zivilisten zu ächten (‚Soldaten'), ungerechte Gewaltherrscher anzugreifen und zu stürzen (‚Guerillas', ‚Judith', ‚Wessis in Weimar'), sich vehement für gesellschaftliche Parias einzusetzen (‚Die Hebamme'), und an vergessene Verbrecher (‚Der Stellvertreter', ‚Juristen') und Retter (‚Tell 38', ‚Alan Turing') wider alle Bequemlichkeit zu erinnern.

In Zusammenhang mit der Widerstandsbewegung der Weißen Rose gibt uns Hochhuth 1980 noch einmal gerafft Rechenschaft über sein Geschichtsverständnis: „Die Beispielhaftigkeit dieser einzelnen, gerade auch der Namenlosen ist es, die Geschichte überliefernswert macht. Denn Geschichte lebt nicht dank ihrer Auslegung durch Philosophen und Dichter und Theologen, sondern par existence. Denn nur einzelne in ihr sind sichtbar, wenn auch das Schicksal der vielen in ihr kein gnädigeres ist: Geschichte lebt durch das Bild, das Menschen in ihr hinterlassen haben."[173] Der einzelne, nicht als Kategorie, sondern als leiblich Existierender ist das Maß des Sinns von Geschichte, weil es „einen archimedischen Punkt außerhalb der Turbulenzen der Geschichte"[174] nicht gibt. Hochhuth sieht keinen qualitativen Fortschritt der Geschichte im ganzen, sie geht weiter, nicht aufwärts, und sie bleibt Katastrophengeschichte. „Schritt sagen – genügt; ‚Fort'-Schritt, das ist schon Propaganda."[175] Denen aber, die von der Geschichte kaputt gemacht werden, die nicht das Glück hatten, „im Windschatten der Weltgeschichte leben zu dürfen"[176], setzt er literarisch ein Denkmal nach dem

[172] Helmut Kreuzer: Der Einzelne in der Geschichte. Bemerkungen zu Rolf Hochhuths Erzählprosa und geschichtlicher Lyrik, in: Walter Veit (Hg.): Antipodische Aufklärungen. Festschrift für Leslie Bodi, Frankfurt am Main 1987, S. 215.

[173] Rolf Hochhuth: Geschwister Scholl-Rede, in: ders.: Räuber-Rede. Drei deutsche Vorwürfe. Schiller / Lessing / Geschwister Scholl, Reinbek bei Hamburg 1982, S. 214.

[174] Rolf Hochhuth: Sommer (1991), a. a. O., S. 2974.

[175] Rolf Hochhuth: Vorstudien zu einer Ethologie der Geschichte, in: ders.: Hebamme. Komödie. Erzählungen (1971), a. a. O., S. 352.

[176] Rolf Hochhuth: Das Gastrecht: ein unverzichtbares im Zeitalter Orwells, in: ders.: Europa (1987), a. a. O., S. 109.

anderen. ‚Menschen inmitten der Geschichte' – so hat Löwith das Burckhardtsche Schaffen zusammengefaßt; Menschen wider die Geschichte – so könnte man Hochhuths Lebensthematik zu umreißen versuchen.

2.4 Geschichtspessimismus und Verklärung des Individuums

Hochhuth klärt auf, daß Oswald Spenglers Acht-Kulturen- bzw. Organismen-Lehre, die nach wie vor als kopernikanische Wende der Geschichtsschreibung gehandelt wird, von dem ‚Weltperioden'-Modell des klassischen Philologen Ulrich von Wilamowitz-Moellendorf, dem Schwiegersohn Mommsens, abgekupfert ist, den Spengler zu erwähnen vermeide. Das Tagebuch der Schwester hat auch ans Licht gebracht, daß Spenglers Titel ‚Der Untergang des Abendlandes' von Seecks ‚Der Untergang der antiken Welt' herrührt, dies bleibt ebenfalls ohne Erwähnung. „Unbedenklicher", schimpft Hochhuth, „hat niemand in der deutschen Geistesgeschichte einen Vorgänger ausgebeutet, ohne ihn auch nur zu nennen ... Wie anständig dagegen hat Toynbee sich verhalten, als er bekannte, zeitweise – und glücklicherweise vorübergehend – als junger Mann geglaubt zu haben, da es Spengler schon gebe, sei er umsonst auf die Welt gekommen"[177]. Dennoch bevorzugt Hochhuth in der Sache den illusionslos-weltpolitischen Blick Spenglers gegenüber der theologisch-normativen Perspektive Toynbees, dem „Wanderprediger für das Christentum"[178], denn „Zufall ist es gewiß nicht, daß *auch* Toynbee Theologe war wie Troeltsch, der als ‚Historiker' forderte: ‚Geschichte durch Geschichte zu überwinden.' Fände jemand heraus, was das heißen solle – schon das Wort ‚überwinden' ist ja sehr

[177] Rolf Hochhuth: Wilamowitz und sein Erbe Spengler, in: ders.: Täter (1990), a. a. O., S. 79.

[178] Rolf Hochhuth: Spengler veränderte das Lebensgefühl Europas, in: ders.: Tell gegen Hitler (1992), a. a. O., S. 75.

komisch: wie überwindet die Nachwelt, was die Geschichte Menschen angetan hat? –, er würde wohl folgern: einer kann entweder Historiker sein *oder* Theologe, nimmermehr aber beides“[179].

Von Spengler bzw. Wilamowitz übernimmt Hochhuth die Überzeugung von der Ziellosigkeit der Geschichte. Wie ein Menschenleben, so durchläuft jede Kultur die Phasen der Kindheit, Reife und Vollendung (was Spengler in seinem Titel irreführenderweise ‚Untergang‘ nennt), was jedem historischen Fortschrittsglauben zuwiderläuft. Aus der Zwecklosigkeit der Natur leitet sich die der Kultur ab. Hochhuth verteidigt Spengler gegen den „Denkfehler der so scharfsinnigen Mann‘s“[180], dies sei Fatalismus: „Denn Spengler – logisch – sagt doch nur, daß nicht alles sich für jeden schickt: daß also in der Spätphase einer Kultur eine andere Tätigkeit innerhalb eines Kulturkreises an der Zeit sei wie in früheren Phasen.“[181] Daß die Geschichte ohne Sinn ist, resümiert Spengler ja gerade aus moralischen Gründen, nämlich aus Entrüstung darüber, daß die mexikanische Kultur von den spanischen Banditen wie eine blühende Sonnenblume geköpft wurde. Dieses empörende Geschehen führt Spengler – und daher auch Hochhuth – zu der Anschauung, „daß die Weltgeschichte absolut sinnlos, das heißt: gottleer ist. Und so auch der Mensch innerhalb der Schöpfung ein Zufall, nicht anders als die Laune des Schöpfers, es zur Existenz dieser Baumsorte, jener Fischart kommen zu lassen.“[182] Hochhuths rhetorische Frage: „Was hätte er dem achten, unserem europäischen Kulturkreis für ein Ende vorausgesagt, wäre Spengler nicht 1936 gestorben, sondern erst neun Jahre später, nach Erfindung der Atombombe?“[183]

Aber warum beruft sich Hochhuth allein auf jene hausbackene Schar von Geschichtlern – Goethe, Burckhardt, Spengler – und läßt ebenso *stimmige* Denker wie Hermann Cohen, Franz Rosenzweig oder Walter Benjamin völlig außer acht? Weil er ein Geschichtsgrobian ist, dem eine theoretisch

[179] Rolf Hochhuth: Spengler (1992), a. a. O., S. 69.
[180] Rolf Hochhuth: Wilamowitz (1987), a. a. O., S. 100.
[181] Rolf Hochhuth: Wilamowitz (1987), a. a. O., S. 100.
[182] Rolf Hochhuth: Spengler (1992), a. a. O., S. 60.
[183] Rolf Hochhuth: Wilamowitz (1987), a. a. O., S. 108.

feiner differenzierende Sicht zu viel Aufhebens um das zeitliche Unheil wäre? Hochhuth weiß selbst um dieses Manko, er „kenne viel zuwenig die moderne Historie. Was ich übrigens sträflich finde."[184] Nur scheinbar entbindet ihn sein so rigoros gesprochenes Credo, „daß es kein Endziel gibt"[185], von jeglichem Rechtfertigungszwang. „Daß Geschichten einen guten Ausgang haben, kommt vielleicht so oft vor wie ein böser Ausgang. Daß aber auch *die* Geschichte einen guten habe: dafür fehlt bisher jeder Beleg"[186]. Wer nämlich der Geschichte Sinn unterstellt, gerät zwangsläufig in die Defensive und muß seine Position durch alle Instanzen und Epochen hindurch verteidigen. So geschehen und mißlungen von den Kirchenvätern bis zu Hegel, die totalitär *einen* Sinn zum alleinseligmachenden aufspreizen. Warum aber spart Hochhuth seine eigene Anschauung aus, wenn er zu Recht kritisiert, „daß jene, die eine Total-Anschauung des Menschen in der Geschichte, die eine *Formel für alles* haben, zum Beispiel: Geschichte ist Klassengeschichte; oder: Krieg ist Wirtschaftskrieg; oder: niemand kommt zum Vater denn durch mich; oder – wie Hegel sagt: ‚Was wirklich ist, das ist vernünftig, und was vernünftig ist, ist wirklich' (Auschwitz war auch einmal wirklich) – daß jene Denker nicht nur in dem, was sie denken, sondern auch in dem, was sie *preisen*, zum ‚Ganzen' neigen, zur Totale – und das heißt praktisch-politisch: zum Totalitarismus."[187] – Ist denn Hochhuths Formel „Geschichte? Sisyphus-Arbeit"[188] weniger totalitär? Neigt Hochhuth weniger zum Ganzen, wenn er das Verhängnis *preist*: „das Gesetz der Geschichte: die Menschheit taumelt in die Irre"[189]. Würde einer, der noch bereit ist zu diskutieren, sagen, „daß Potenzverschleiß die einzige konstante Aufgabe der Geschichte ist"[190]? Hätten wir nicht auch seine andere Seite kennengelernt, müßten wir es schlicht als zynisch empfinden, wenn Hochhuth ohne Wenn und Aber über die Köpfe der einzelnen hinweg proklamiert: „Beschäftigungstherapie, die jeweils eine Generation, auch Staaten,

[184] Rolf Hochhuth: Herr oder Knecht (1981), a. a. O., S. 14.
[185] Rolf Hochhuth: Vorstudien (1971), a. a. O., S. 397.
[186] Rolf Hochhuth: Ist Geschichte, was mißglückt?, in: ders.: Europa (1987), a. a. O., S. 12.
[187] Rolf Hochhuth: Vorstudien (1971), a. a. O., S. 361.
[188] Rolf Hochhuth: Vorstudien (1971), a. a. O., S. 351.
[189] Rolf Hochhuth: Vorstudien (1971), a. a. O., S. 384.
[190] Rolf Hochhuth: Vorstudien (1971), a. a. O., S. 403.

auch Völker, zum Tode führt, *ist* der Zweck der Geschichte; daß sie über diesen Zweck hinaus auch einen Sinn habe, ist zwar oft behauptet, aber niemals belegt worden“[191]. Man kann sich nur wundern, daß ein Mann von solcher Detailkenntnis, zu solch undifferenziertem Gesamturteil – und sei dieses auch richtig – kommen kann, wie: Die „Kontinuität des Terrors in der Weltgeschichte: Die Summe der Dummheit, die zu Verbrechen führen kann, bleibt konstant, zuweilen wechseln die Regionen und Erscheinungsformen.“[192] Wenn man das ernst nähme, könnte man Adornos Diktum von der ‚Abdankung des Subjekts' genausogut mit ‚Hochhuth' zeichnen.

Jan Berg bemängelt an diesem Geschichtsverständnis die fehlende Reflexion der Bedingungen und Vermittlungen von Geschichte, denn im „gleichen Maße, in dem Hochhuth sich ins ‚unerklärbar Vorauszusetzende' irrationalistisch abzusetzen bemüht, muß er jegliche soziale, ökonomische oder – und vor allem – ideologische Vermitteltheit von Geschichte leugnen.“ [193] Die im weiteren geäußerten Vorwürfe des Theaterwissenschaftlers Berg, Hochhuth hänge der ‚Ideologie einer Gesellschaft freier Konkurrenten' an, er betreibe eine ‚scheinwissenschaftliche Kumulation von Zitaten' und vertrete die Position des „Bildungs- bzw. Halbbildungsbürgers, der durch Bildungskonsum dem nur Konsumierenden sich überlegen glaubt“[194], scheinen einem gewissen überkritischen Eifer entsprungen zu sein. Man wird dem Eschweger kaum den Vorwurf machen können, daß er seine Gewährsleute nicht offenlegt. Daß er keine großartige Theorie der historischen Vermitteltheit entwirft, liegt aber wohl weniger daran, daß er dies nicht vermöchte, als vielmehr daran, daß dies schlicht nicht in den Aufgabenbereich eines Dramatikers fällt.

Aber es ist eben auch derselbe Hochhuth, der die Wucht seiner schriftstellerischen Energie darauf verwendet, das Individuum gegen Totalität in Schutz zu nehmen. So sagt in der ‚Hebamme' – in Zusammenhang mit der

---

[191] Rolf Hochhuth: Vorstudien (1971), a. a. O., S. 406.

[192] Rolf Hochhuth: Verbrannte Bücher – verbrannte Menschen, in: ders.: Europa (1987), a. a. O., S. 159.

[193] Jan Berg: Geschichts- und Wissenschaftsbegriff (1973), a. a. O., S. 63.

[194] Jan Berg: Geschichts- und Wissenschaftsbegriff (1973), a. a. O., S. 64.

Obdachlosenproblematik – der SPD-Oberstadtdirektor „GNILLJENEIMER: Man muß das Ganze sehen.“ Und die Oberschwester „SOPHIE, scharf, rasch: Falsch: Menschen sind einzelne“[195].

In einem Disput im New Yorker Gotham Hotel mit seinem Verleger Ledig, den er vor seinem geistigen Auge charakterlich sich mit Churchill überschneiden sieht, wird Hochhuth vorgeworfen: „‚[...] Sie hab ich in Verdacht, Sie globen noch ganz vormarxistisch an den einzelnen Mann, der Geschichte macht.‘ Ich: ‚Glauben tue ich nicht an ihn, ich sehe nur, es gibt ihn wie eh und je. Auch Benn hat ja nicht an Geschichte *geglaubt*, aber doch gesagt, an *Herzoginnen lasse sich mehr ausdrücken als an Kartoffelschalen.*‘“[196]

2.5 Das Gedicht als Geschichtsverdichtung

Ein anderes Medium, in dem Hochhuth seine Geschichtsinvektiven fortsetzt, ist das Gedicht. Hochhuth verwendet dieses Medium ohne viel Romantik und Zartgefühl, seine Aussagen kommen frontal und direkt, auf dem kürzesten Weg der Beschreibung. Seine unumwundene, antihermetische Sprache entzieht aller kommentierenden Sekundärliteratur beinahe ihre Legitimation. Auch im Gedicht erweist sich der Autor als einer, der Tatsachen ungeschminkt und ungeschönt darstellen will. Doch keineswegs verzichtet er auf die formale Schönheit von Rhythmus und Versmaß, wobei er auch auf klassische Muster zurückgreift, und vermittelt auf diese Weise oft einen gekünstelten Eindruck. Nicht selten nimmt Hochhuth, indem er beharrlich das Ungereimte der Wirklichkeit am Ende abreimt, – ganz gegen seine eigene Intention – etwas von dem wirklichen Grauen weg.

[195] Rolf Hochhuth: Die Hebamme. Komödie, in: ders.: Dramen 1 (1991), a. a. O., S. 1153.

[196] Rolf Hochhuth: L‘Impromptu de Madame Tussaud, in: ders.: Hebamme. Komödie. Erzählungen (1971), a. a. O., S. 57.

Es ist kein Geheimnis, daß diese Gedichte unter hohem Geistesaufwand geronnene Konstrukte sind, Verdichtungen angestrengten Sammelns und Formulierens. Während im Drama seine ausufernde Redundanz – insbesondere der Zwischenbemerkungen, er nennt sie „Eisen in der Felswand“[197] – schon beinahe sprichwörtlich geworden ist, bilden seine Gedichte geschichtliche Hochkonzentrate, „die kürzeste, mir mögliche Zusammenfassung“[198]. Hochhuths Geschichtsgedichte stellen einen „eigentümlichen Beitrag zum Formen-Ensemble der gegenwärtigen Lyrik“[199] dar. Mehr noch als im Drama dominiert im Gedicht die Hinfälligkeit allen Strebens und Seins.

Hochhuth geht das Kunstwerk nicht so leicht von der Feder wie etwa einem Mozart, der oft am Vorabend von Premieren noch schnell seine Partituren fertigschreibt. Der Eschweger ähnelt mehr dem behäbig schaffenden Beethoven, der etwa für die ersten Takte seiner fünften Symphonie zigdutzende Varianten ausarbeitet und verwirft. Dem Dichter Hochhuth liegt nichts, überhaupt nichts daran, in Verschlüsselungen oder auch nur Indirektheiten zu sprechen. Hier wird, auf knappstem Raum, gesagt, was zu sagen ist. Diese Gedichte bleiben sprachlich zumeist an der Verstehensoberfläche, ihre Tiefe erreichen sie durch das inhaltlich geforderte Umdenken. Rilkes nur ästhetische Losung ‚Du mußt Dein Leben ändern!‘ – hier finden wir sie verkörpert, ja fast brachial umgesetzt. „Tatsächlich ist ein Gedicht, einfach als Willensakt zum Schönen, zur Form in formloser Umwelt, im Stoff und Staub der Alltäglichkeit, schon ein Politikum, ein Brückenschlag. Denn noch wo es sich ganz als Monolog abschließt, verändert es Menschen.“[200] Gegen das selbstreferentielle, ästhetisch verfeinerte votiert Hochhuth für das unverblümte Gedicht: Was es aussagt, trägt es offen zutage, man braucht es nur noch zu lesen. Aber den Dichter und Königsmörder Hochhuth lesen ist ein Akt der Abwendung von jeglicher heimeliger

[197] Mein Vater heißt Hitler (1976), a. a. O., S. 5.

[198] Rolf Hochhuth: Erst mußte er die Baßgeige verkaufen: Johann Georg Elser, in: ders.: Panik (1991), a. a. O., S. 139.

[199] Helmut Kreuzer: Der Einzelne (1987), a. a. O., S. 222.

[200] Rolf Hochhuth: Erwin Piscator, in: ders.: Hebamme. Komödie. Erzählungen (1971), a. a. O., S. 442.

Behütetheit. „Lesen verunsichert, wenn das Buch etwas taugt. Wer lieber Pingpong spielt, ist meist glücklicher."[201] Glücklicher jedenfalls als jener, der das Hoffnungsloseste liest:

> Jahre, ‚Taten' – an den Wind verloren.
> In den Wind gearbeitet! – klagt Salomo.
> Hekatomben hat Geschichte weggeschoren,
> wüstgelegt, genarrt, von nirgendwo
> und um nichts nach nirgends deportiert.[202]

Wer hätte das gedacht: Hochhuths maßloser Geschichtspessimismus steht in vollem Einklang mit biblischen Schriften, ja ist wahrscheinlich sogar von diesen her inspiriert. Die Prediger Hochhuth und Salomo vereint, über zwei Jahrtausende und Kontinente hinweg, durch die Thematik und eindringliche Diktion. Unter der Sonne nichts Neues, ‚Nichtigkeit, nur Nichtigkeit. Alles ist Nichtigkeit': Hier sind zwei Dichter in ihrem Element. Hochhuth ist überzeugt, „daß der Prediger Salomo die überzeugendste Existenzphilosophie aus der Geschichte abgeleitet hat, wenn auch so wenig wie jeder andere eine Philosophie der Geschichte"[203], denn diese ist, bei Hegel am Höhepunkt, per se Menschenverachtung.

Der katholische Kommentator der Jerusalemer Bibel appelliert in der Einleitung zu dem ‚Buch Prediger', – weil dem viel zu kritischen Buch, da es ja schon in der Bibel steht, die Imprimatur nicht mehr verweigert werden kann –, an die Nachlässigkeit des Lesers: „Das Buch bildet nur eine Stufe in der religiösen Entwicklung und darf nicht losgelöst vom Vorhergehenden und Nachfolgenden beurteilt werden."[204] Ob man in der vielleicht nicht weniger totalitären Zukunft auch Hochhuth einmal durch eine solche Lektüre-Instruktion zu entschärfen versuchen wird, etwa so: *Hochhuths*

---

[201] Rolf Hochhuth: Vorstudien (1971), a. a. O., S. 353.
[202] Rolf Hochhuth: Blätter aus einem Geschichtsatlas, in: ders.: Hebamme. Komödie. Erzählungen (1971), a. a. O., S. 93.
[203] Rolf Hochhuth: Ist Geschichte (1987), a. a. O., S. 27.
[204] Diego Arenhoevel / Alfons Deissler / Anton Vögtle (Hg.): Bibel (1974), a. a. O., S. 829.

Werk bildet nur eine Stufe in der literarischen Entwicklung und darf nicht losgelöst vom Vorhergehenden und Nachfolgenden beurteilt werden. – Hochhuth würde das selbst wohl am allerwenigsten überraschen.

Hochhuths Sprachintensität erreicht ausgerechnet am geschichtlichen Tiefpunkt unvergleichlich ergreifende Momente: ‚von nirgendwo / und um nichts nach nirgends deportiert'. Man fühlt den materialisierten Zorn des Dichters, seine Erbitterung darüber, daß alles seinen Gang geht und niemand, niemand auch nur die Geleise manipuliert, um den in die Viehwaggons Gepferchten eine Chance vor dem Nichts zu geben.

Und wir fragen uns auch hier: Warum beruft sich Hochhuth allein auf alte Hüte – Goethe, Schiller, Benn – und ignoriert völlig die Dichtung jener, die ihn thematisch *eigentlich* betreffen: Paul Celan, Nelly Sachs, Ossip Mandelstam?

Die alles ermöglichende und alle vernichtende Zeit regiert lautlos, wir achten ihrer nicht, wie wir der Luft nicht achten, die wir atmen. So stehen die Schlußstrophen des Gedichtes ‚Die Zeit' ohne Zweifel auch in ekklesiastischer Tradition:

> Ob unsrer Ohnmacht,
> Undauer, Nichtigkeit.
> Lebenslänglich gewirkt: spurlos,
> als ob wir das Meer gepflügt.
>
> Leeregefühl nach Triumphen.
> Wir Vergeßlichen, bald vergessen.
> Weinen und Lachen und
> – Erde verschlingt uns.[205]

---

[205] Rolf Hochhuth: Geschichtsatlas (1987), a. a. O., S. 217.

Jenes ‚Leeregefühl nach Triumphen', das die Großen auf ihrem Sterbelager befällt: daß alles langweilig (Churchill) und alles Stroh (Thomas von Aquin) sei. Angesichts des Todes scheinen unsere Taten und Werke wie ins Wasser geschrieben, und doch hätte man zu keinem Zeitpunkt anders leben können als – bemüht.

Wie das Buch Hiob, so wird auch das Buch Prediger durch einen – wahrscheinlich redaktionell eingefügten – überversöhnlichen Schluß verhunzt und also unglaubwürdig. Hochhuth leistet sich solche Inkonsequenz nicht. Seine Gedichte beginnen *und* enden – unversöhnlich. Wir wählen blind ein Beispiel, es ist – die ‚Kreislaufstudie', sie beginnt:

> Jede Zeit baut Pyramiden:
> Irrsinn, der nach leeren Riten,
>
> Weltanschauung, ‚Reich' genannt,
> ‚ewige' Werte setzt – auf Sand.
>
> Sinnlos zwar, doch zweckvoll – Strategie,
> denn Beschäftigungstherapie
>
> Die zum Tode führt ist die Geschichte.
> Und die Umwälzung der Machtgewichte
>
> Hat nur einen Zweck: Potenzverschleiß.
> Fortschritt, Endziel gibt es nicht; ein Kreis und endet:
>
> Ende dort, wo alles Licht verglimmt.
> Doch im Nichts, nur im Nichts braucht niemand mehr zu
> weinen.[206]

Hochhuths poetischer Zynismus aber, das wird hier offenbar, resultiert keineswegs aus einer Verachtung für alles Irdische, sondern aus dem Mitleid mit der malträtierten Kreatur und – daher – aus dem Leiden am mißglückenden Ganzen. ‚Nur im Nichts braucht niemand mehr zu weinen':

[206] Rolf Hochhuth: Geschichtsatlas (1987), a. a. O., S. 94 f.

das klingt zwar höhnisch, doch entspricht es dem Ansatz des Eschwegers, niemals falschen Trost zu spenden, der Wahrheit vor aller falschen Linderung stets das Vorrecht einzuräumen. Und was noch mehr ist: es zeigt – da er ja nicht nur ein *Pessimist,* sondern auch ein *Utopist*[207] ist –, daß er sich für eine Welt, ein Sein ohne Weinen stark macht. So rigoros, wie Hochhuth für eine sinnhafte Existenz der einzelnen plädiert, so rigoros stellt er die (Noch-?)Sinnleere der geschichtlichen Totalität heraus. Daß wir im Nichts nicht mehr zu weinen brauchen, stellt das Minimum einer Erlösung dar, derer wir sogar sicher sein dürfen. Was an eschatologischem Hoffen darüber hinausgeht, verlöre sich in jenseitiger Spekulation und hätte in Hochhuths Dichtung per definitionem nichts zu suchen. Ein ideologisch-monistisches Erklärungssystem kann und will er nicht anbieten, vielmehr warnt er vor letzten Gewißheiten jeglicher Couleur, die immer auf den Stillstand des eigenen Denkens abzielen. Wir tragen eine Strophe aus dem ausgesparten Mittelteil des zuletzt zitierten Gedichts nach: „von Gelingen / Sprechen nur die Heilsverkäufer“[208].

Gedichte sind für Hochhuth unabgeschlossene Gebilde, er läßt die Geschichte an und in ihnen arbeiten. Bei fast jeder Neuauflage ändern sich Titel, Wörter oder ganze Strophen. So endet das zuletzt zitierte Gedicht Jahre später:

> Wie die Christen ihre ordinären Siege
> ‚krönten‘ durch Vernichtung der Antike
>
> Schenkten Spanier Holocaust als Segen
> Christi – Inkas und Azteken
>
> Und den Genocid die Weißen den Indianern.
> USA: frei von Roten! Den Amerikanern.[209]

[207] Vgl. Fritz J. Raddatz‘s treffenden Hochhuth-Titel: ‚Der utopische Pessimist‘.
[208] Rolf Hochhuth: Geschichtsatlas (1987), a. a. O., S. 94 f.
[209] Rolf Hochhuth: In Venedig, in: ders.: Panik (1991), a. a. O., S. 19.

Das variable Gedicht darf wohl als ein Hinweis darauf gewertet werden, daß Hochhuth – bei aller Drastik seiner Gebärden – sich dennoch nicht für unverbesserbar hält. Er sieht Geschichte wie das Gedicht: als durch Deutung veränderbar. Sie sind keine totalen Größen, sondern unterliegen der stetigen Aktualisierung durch das Erkenntnisinteresse des Tages. Beschäftigt sich Hochhuth beim Überarbeiten von älterem Material gerade – wie in diesem Falle – mit der Eroberung Amerikas, dann findet dies eben seinen Niederschlag. Wird hier also Hochhuth zitiert, so stelle man stets in Gedanken voran: *Im Augenblick gerade lautet der Text …* Und erst mit dem Tod des Dichters wird das Werk wirklich abgeschlossen sein, im Sinne von: eingefroren in einer Variante.

Wir glauben, daß Hochhuth übertreibt, wenn er auf den Vorwurf, er habe keine Sprache, meint: „Ich glaube, ich bin derjenige deutsche Lyriker, der mehr neues Vokabular und weniger unverbrauchte Reime in seine Gedichte gebracht hat als jeder andere"[210]. Was der Eschweger Lyriker an neuem Vokabular und Reim einbringt, geht nämlich nicht selten auf Kosten der sprachlichen Qualität: „Er dachte, was im Mai ein Mädchen ‚trägt' / – es brachte seinen Twenspott um die Sprache: / einhundertfünfzig Gramm das Kleid, / je dreißig Gramm für Höschen und BH / Kniekehlen, die er treppauf sah"[211]. Oder: „General Motors, Chrysler, Ford / liefern siebzig von hundert zugelaßnen Wagen, / der Rest, fast ganz, japanischer Import"[212]. Man fragt sich überhaupt: Warum zwängt Hochhuth seine großteils – zwei Ausnahmen haben wir soeben zitiert – subversiven Inhalte in das Korsett antediluvianischer Jamben, Trochäen oder Reime? Aus Traditionalismus, aus Unsicherheit? Weit gefehlt, – aus ‚erotisierender Mühsal'. Daß er Gedichte anstelle eines Journals schreibt, begründet der Eschweger allen Ernstes so: „Sogar Persönlichstes zu sagen wird leichter,

[210]Gaus im Gespräch (1993), a. a. O., S. 53.

[211]Rolf Hochhuth: Reisenotizen, in: ders.: Hebamme. Komödie. Erzählungen (1971), a. a. O., S. 475.

[212]Rolf Hochhuth: Auferstehung? Hommage à Gottfried Benn, in: ders.: Wellen. Artgenossen (1996), a. a. O., S. 224.

wenn wenigstens die übrigens erotisierende Mühsal damit verbunden ist, es in die strenge Form des Gedichts zu zwingen; auch faßt sich kürzer, wer Reime suchen muß oder wenigstens in freien Rhythmen bleibt."[213]

2.6 Ruine und Meer: Sinnbilder der allgemeinen Vergeblichkeit

Als maßgeblich für die Geschichtsmelancholie des Dichters wird man auch dessen Sizilien-Erlebnis anführen müssen. Syrakus, jene im Südosten Siziliens gelegene Hafenstadt auf der Insel Orligia und dem angrenzenden Festland, wo der athenische Eroberungsversuch 413 v. u. Z. scheitert, der alliierte Befreiungsversuch 1943 aber nach dem Desaster von Dünkirchen – unter hohen Verlusten – gelingt, müßte eigentlich ein Hoffnungsschimmer sein im Dunkel der Hochhuthschen Negativität. Doch seine Deutung bleibt auch hier zwiespältig: „daß Aischylos ‚Die Perser' in Syrakus aufführte und Pindar hier wirkte: legt noch heute einen Glanz über die zum Städtchen verkommene antike Metropole, in der übrigens heute von uns August Graf von Platens Grab zu besuchen ist, so wie dort einst Cicero das Grab des Archimedes besucht hat"[214]. Der Eindruck, daß die Gegenwart nur die verkommenen Reste einer besseren Vergangenheit hortet, gerät im nordwestlich gelegenen Segesta zum erneuten salomonischen „Schockerlebnis der Nichtigkeit alles Irdischen, besonders auch der werten eigenen Person, der ‚Undauer', wie mein Lehrer Flake das nannte, allen Menschenwerks. Ich notierte in Segesta:

> Tempel
>
> Äcker, fast fruchtlos, der Pflug
> lockert nur mühsam sie auf.

[213] Rolf Hochhuth: Über das Schreiben von Tagebüchern, in: ders.: Europa (1987), a. a. O., S. 194.

[214] Rolf Hochhuth: Von Syrakus aus: Churchill und Thukydides als Chronisten Siziliens, in: ders.: Syrakus (1995), a. a. O., S. 269.

Kein Haus, weder Straße noch Grabmal
sind geblieben – ein Tempel allein,
dem mit den Betern auch Gott starb,
behaust nur von Sandwind
bezeichnet die Stadt noch:

Segesta

Geh weiter auch du – eh‘ sie dich
ansteckt, die Schwermut:
sie brütet auf entleerten Altären.
Wo Markt war, Theater und City,
sind Dünen. Wo Menschen lebten,
ist – nichts. Oder du – momentan;
auch so lange nur wie dein Schatten.[215]

‚Segesta‘ – ein Platzhalter für all jene Städte, die sich für unsterblich halten, ein Anlaß, das Gegenwärtige als schon vergangen zu denken. Wo Menschen leben mit größter Selbstverständlichkeit, wird – genauso selbstverständlich – nichts mehr sein. Dort wo momentan der Berufsverkehr sich durch die Straßen schiebt und Leuchtreklamen prangen, wird irgendwann nur noch Windrauschen sein. Hochhuth, der Prophet Amos des Atomzeitalters, warnt, daß in Sekundenschnelle Zivilisation heute in Einöde verwandelt werden kann. Und dann müßten die Ratten unsere Geschichte zu Ende schreiben.

Der Anblick der verfallenden religiösen Stätte, des dorischen Tempels zu Segesta, bewirkt bei Hochhuth eine merkwürdig intensive Larmoyanz. Würden hier noch Riten und Kulte vollzogen, es hätte ihn diese Örtlichkeit wohl kaum interessiert. Aber jetzt, da ihr Leben ausgehaucht, ‚behaust nur von Sandwind‘, ist er seltsam berührt, ergreift ihn via negationis eine Art postreligiöse Tristesse. Just als die Altäre entleert und ungenutzt dastehen,

[215] Rolf Hochhuth: Churchill und Thukydides (1995), a. a. O., S. 265 f.

gewinnen sie die Aufmerksamkeit des Dichter und haben so noch einmal Transzendenzfunktion. Sofort befällt ihn der religiöse Gedanke, daß auch er selbst nur ein Schatten, seine Existenz nur ein Übergang sei.

Dem ‚Alleswisser' Hegel wollte Hochhuth geraten haben, einmal nur nach Syrakus zu reisen, „hätte er auch nur die Tempel Segestas und Selinunts gesehen, erhaltene und zertrümmerte, aber doch – ob zerstört, ob erhalten, gleichviel – verlassen nicht nur von ihren Göttern, wie auch unsere Dome schon von Gott verlassen sind und zu Museen verwandelt, sondern auch von allen ihren Betern –, Hegel hätte sich selbst und sein hohenzollersches Berlin nicht für ‚ewig' gehalten! Nichts rückt unseren Größenwahn so zurecht wie eine Reise in die Weltstadt gewesene Ortschaft Syrakus"[216].

Daß es keinen linearen Gesamtablauf in der Geschichte geben kann, hätte Hegel aber auch von den Abläufen der Natur lernen können, wenn er sie nur jemals zur Kenntnis genommen hätte. Wie hätte Hegels Denken sich verschoben, „würde er je das Meer befahren haben, statt nur einmal an der holländischen Küste zu stehen ... und nichts anderes hinzuschreiben, dort bei Scheveningen, als den einen dümmlichen Satz: ‚Hier die unbegrenzte Nordsee, das deutsche Meer gesehen'. (Das ‚deutsche'!)"[217] In Hochhuths Werk bewirkt das Meer einen doppelten Impetus. Einerseits versinnbildlicht es die große Vergeblichkeit alles Zeitlichen – ‚als ob wir das Meer gepflügt', dichtet er ein Diktum von Simón Bolívar um, – „wie nämlich selbst bei Taifunen noch die Wellenwalzen, zehntausendtonnenschwer, nicht ‚voran'kommen, sondern sich, Spasmen ohne Endzweck, Entkrampfung durch Erschöpfung, nur hoch- und abtoben; daß die Seen noch bei Orkanböen auf der Stelle anschwellen, steigen, sich bäumen, um in sich selber zusammenzubrechen"[218]. Andererseits nähert sich der Dichter – es wäre sonst nicht Hochhuth – dem Meer auch aus der Opferperspektive, schreibt aus der Sicht des kleinen Matrosen:

– schmeck' ich mein Meergrab schon in deinem Schoß.

[216] Rolf Hochhuth: Churchill und Thukydides (1995), a. a. O., S. 272.
[217] Rolf Hochhuth: Atlantik-Novelle, in: ders.: Panik (1991), a. a. O., S. 241.
[218] Rolf Hochhuth: Madame Tussaud (1971), a. a. O., S. 64.

Zeitfrage, bis der Ruf: ‚Torpedo frei'
mich wegreißt samt verlorenem Floß.[219]

Und er thematisiert die gefährdeten Riesen, die „Wale, Götter in den Meeren"[220], ohne sich zu scheuen, dem Gedicht ein ausführliches Zitat aus den ‚Greenpeace-Nachrichten' über die Ausrottung der Pott-Wale voranzustellen. Er beschließt die erbitterte Klage:

Zu fürchten, nur zu fürchten das Wort: human!
Daß der Mensch selbst aus der Schöpfung irrt:
Dieser Genozid zeigt es im Ozean.[221]

Die Erfahrung des Meeres stellt für Hochhuth eine ganz eigentümliche Geschichtsmetapher dar, durch welche er etwa die mediterranen Philosophen seit je gegen jeglichen Fortschrittswahn gefeit sieht. Die Kategorie ‚Meer' kommt in der deutschen Philosophie, mit Ausnahme jener des Oldenburgers Jaspers, schlicht nicht vor. „Wie hat es mich angerührt", schwärmt Hochhuth, „in den historischen Fragmenten Burckhardts, *auch* die Wasserwogen oder das Meer als Abbilder seiner Geschichtsauffassung wiederzufinden! Nicht nur in seinem bestürzenden Aphorismus, den er am 6.11.67 in seine Vorlesung über das Revolutionszeitalter eintrug: ‚Wir möchten gerne die Welle kennen, auf welcher wir im Ozean treiben, allein wir sind diese Welle selbst.' [...] ‚Jede Begrenzung', schreibt Burckhardt, ‚ist an sich bloß um der Notwendigkeit willen da; es ist immer Willkür dabei, aus dem Wellenmeer der Weltgeschichte, beginnend von der fernsten Vergangenheit und auslaufend in die fernste Zukunft, von der wir ja doch nichts wissen, nur eine Folge oder Ansicht von Wellen loszutrennen'"[222].

Wasser, das Urelement des Lebens, – siebzig Prozent der Weltoberfläche sind davon bedeckt und in gleichem Maße macht es die Körpersubstanz der meisten Organismen aus – Wasser, das in allen Kosmogonien der Welt

[219] Rolf Hochhuth: Atlantik-Novelle (1991), a. a. O., S. 233.
[220] Rolf Hochhuth: Wale singen, in: ders.: Panik (1991), a. a. O., S. 556.
[221] Rolf Hochhuth: Wale (1991), a. a. O., S. 557.
[222] Rolf Hochhuth: Geschichte Naturgeschichte? (1996), a. a. O., S. 24.

als machthaltige Ursubstanz von Leben und Fruchtbarkeit verehrt wird, scheint in deutschen Landen allein den Naturwissenschaften vorbehalten zu sein. Wie Goethe Geschichte als Naturgeschichte und den Menschen in ihr kollektivistisch als sich unbewußt bewegendes Organ auffaßt, so unerquicklich sieht auch Hochhuth die Schöpfung als ein bewegtes Nichts:

> Wellen, Wolken, Pflanzen, Tiere, Luft, Licht
> und ‚natürlich' auch Menschen, wieso nicht?
>
> – sind nur das Einatmen, Ausatmen der Natur[223].

2.7 Menschliche Unbelehrbarkeit oder Die ewige Wiederkehr des Krieges

Das in der Filmversion von Hochhuths einzigem Roman ‚Eine Liebe in Deutschland' ausgesparte 21. Kapitel ‚Vom Fischer un sine Fru' schildert das verzweifelte Gespräch zweier kriegsgefangener Polen auf der Fahrt zum Galgen. Zasada, der wegen einem Liebesverhältnis zu einer Deutschen zum Tode verurteilt ist, und Victorowicz, der seinen Landsmann hängen muß. Victorowicz erzählt „drängend und eindringlich dem Verlorenen, daß ihrer beider Rachedurst so sicher gestillt werde, wie das Märchen vom Fischer un sine Fru wahr sei"[224].

Ein armer Fischer angelte einen sprechenden Butt, von dem er sich auf Drängen seiner Frau ein neues Haus anstelle ihrer Fischerhütte wünschte und bekam. Nach vierzehn Tagen wollte sie ein Schloß, bekam es und wurde in immer kürzeren Abständen unzufrieden. Sie wollte Königin sein und wurde es, dann Kaiserin und sogar Päpstin samt Ehemann (!). Und der Fischer sagte zu ihr „‚Fru, nu sy tofreden, nu du Paabst büst, nu kannst du doch niks meer warden.' ‚Dat will ik my bedenken', säd de Fru. Mit des güngen se beyde to Bedd, awerst se wöör nich tofreden, un de Girighait leet

[223] Rolf Hochhuth: Auferstehung (1996), a. a. O., S. 221.
[224] Rolf Hochhuth: Liebe (1983), a. a. O., S. 265.

se nich slapen"[225], und sie dachte immerfort, was sie noch werden könnte. Und als sie das Morgenrot sah, spürte sie das Bedürfnis, auch Sonne und Mond aufgehen lassen zu können. Sie stieß ihrem Mann mit dem Ellbogen in die Rippen und rief: „ik will warden as de lewe Gott."[226] Und nachdem der Mann dem Butt auch diesen Wunsch vorgetragen hatte, saßen sie wieder in ihrer Fischerhütte.

„‚Denn weißt Du Stani', sagte Victorowicz, ‚ein solches Märchen pflanzt sich nur deshalb durch alle Zeiten und Breiten fort, weil es immer wieder in der politischen Gegenwart irgendwo eine Entsprechung findet, durch Ereignisse, die in ihm schon vor- und abgebildet sind wie die Wasserzeichen in großen Geldscheinen'"[227].

Wie bereits im Ersten Weltkrieg die Vermessenheit, Rußland zu erobern, Deutschland ins Nichts stürzt, so auch im Zweiten. „Lernt doch nur der Dumme aus Erfahrung, der Kluge aber aus der Erfahrung der anderen; doch die Deutschen lernten nicht nur nichts aus den Erfahrungen der zwei Napoleons, sondern auch aus ihrer eigenen lernten sie nichts"[228]. Für Hochhuth erfolgt der Energieabbau in der Geschichte nicht nach ideologischen oder religiösen, sondern nach Naturgesetzen, denn „nichts, buchstäblich nichts hängt davon ab, ob Elsaß-Lothringen deutsch oder französisch ist … Generationen, die die Spleens pflegten, sie müßten ihre Söhne schlachten für dieses Nichts: sie haben sich dank dieses Spleens zu Tode gearbeitet, ihre Triebe abgetrabt"[229]. Und so absurd ist das Resümee 1945: 27 Millionen Soldaten und 25 Millionen Zivilisten wurden getötet oder ermordet, einige tausend Quadratkilometer Land haben den Besitzer gewechselt.

---

[225] Von dem Fischer un syner Fru, in: Kinder- und Hausmärchen gesammelt durch die Gebrüder Grimm, München 1991, S. 141.
[226] Von dem Fischer (1991), a. a. O., S. 141.
[227] Rolf Hochhuth: Liebe (1983), a. a. O., S. 265.
[228] Rolf Hochhuth: Liebe (1983), a. a. O., S. 268.
[229] Rolf Hochhuth: Geschichte Naturgeschichte? (1996), a. a. O., S. 31.

Auf Günter Gaus' Frage, was es für ihn bedeute, Deutscher zu sein, antwortet Hochhuth: „Fische sehen das Wasser nicht. Ich denke gar nicht darüber nach. Ich bin eins mit meiner Sprache; ich habe auch kein besonders intimes Verhältnis zu anderen Sprachen. Ich kann mich nur als Deutscher denken und verstehen, alles was ich schreibe, außer Privatestem, Intimstem, Liebesgedichten und so, alles, was ich sonst schreibe, kommt aus der deutschen Geschichte. [...] ich kann eigentlich nichts Historisches denken, ohne das [Auschwitz, G.R.] mitzudenken. Und das macht einen doch sehr kleinlaut."[230]

Diese Schöpfung ist nicht mehr heil, seit wir Menschen in ihr leben, „wir Zeitgenossen von Auschwitz und Hiroshima (sind) nicht mehr [...] fähig, von der Welt als der ‚Schöpfung der höchsten Weisheit' zu schwärmen: absurd!"[231] Den „blutigen opferreichen Umweg über zahllose Jahrtausende – diesen Umweg nennen wir pathetisch ‚Geschichte'"[232] – klagt Hochhuth in Zusammenhang mit seiner Einsicht, daß die Menschen im atomaren Zeitalter durch ein kleines Insekt symbolisiert werden: Die Biene, die stirbt, wenn sie sticht. Und das Ärgerliche an Hochhuths Besserwisserei: Sie ist berechtigt.

Geschichte

Namen, Taten – nicht einmal mehr Rauch.
Gäste nur in Schlössern, ohne Spuren.
Der ich's reime, der du's liest: wir auch
– höchstenfalls als Schachfiguren
Staaten ausgehändigt zum Verbrauch –,
sind im Reigen der Kulturen
nur ein Lidschlag unterm Todeshauch.

König, Bauer – beide, nach dem Spiel,
werden abgelegt im gleichen Kasten.

[230] Gaus im Gespräch (1993), a. a. O., S. 40 f.
[231] Rolf Hochhuth: Der gangbarste Weg, in: ders.: Syrakus (1995), a. a. O., S. 168.
[232] Rolf Hochhuth: Fundsachen, in: ders.: Syrakus (1995), a. a. O., S. 122.

Nur ein Ende hat die Fahrt, kein Ziel,
ob der Segler auch mit vollen Masten
wieder einläuft oder kiel-
oben als ein Wrack die Lasten
abwarf und im Sturm zerfiel.

Städte, Staaten – ach, wie rasch Ruinen,
welche scharfe Axt führt doch die Zeit.
Du wie ich nur Schwellen unter Schienen
auf dem Irrweg in Verlorenheit.
Denk an die Verbrannten – vor Kaminen.
Sieh auf andere, die eingereiht
– schlangestehen vor Guillotinen!

Opfer, Mörder – fragt noch wer, warum?
Staaten steigen auf, um – abzusteigen.
Sinn? – wieso: ein Pandämonium!
Nur der Rasenmäher kann uns zeigen,
wie Geschichte endet: gräserstumm
wie ein Massengrab – in Schweigen.
Umbra fui – nihil sum.[233]

‚Namen, Taten – nicht einmal mehr Rauch', was bleibt, ist, daß es vergangen sein wird. „Ewig ist / doch nur, daß man uns vergißt", heißt es in dem Gedicht ‚Name ist writ in water', und weiter:

Du und ich auch immer nur:
Menschen – also ohne Spur.[234]

Das ciceronische Prinzip der Endlichkeit kennzeichnet Mikro- und Makrokosmos gleichermaßen und hat vor Hochhuth auch schon Hieronymus und Augustinus beeinflußt. „Vorausgesetzt – wir setzen das voraus –, der Mensch sei das Maß aller Dinge: So ist er gewiß auch das Maß dessen, was

[233] Rolf Hochhuth: Salzburger Hauptbahnhof, in: ders.: Panik (1991), a. a. O., S. 750.
[234] Rolf Hochhuth: Rom-Blätter, in: ders.: Panik (1991), a. a. O., S. 342.

er schafft: seiner Geschichte. Und so ist selbstverständlich vom Individuum auch übertragbar auf alles das, was es machte: auf die Geschichte – das Gesetz der *Befristung.*“[235] Mit einem fast missionarischen Überzeugungseifer wiederholt Hochhuth das namenlose Verschwinden des einzelnen ins undankbare Nichts, um uns dann mit derselben mitreißenden Intensität Namen, die den Lauf der Geschichte verändert haben oder verändern wollten – das ist moralisch gleichwertig –, ins Gedächtnis zu brennen: Wladyslaw Sikorski, Alan Turing, Maurice Bavaud. Eigennamen häufen sich geradezu in Hochhuths Gedichtstiteln: Johann Georg Elser, Churchill, Mozart, Schopenhauer, Hamlet, Marc Aurel. Diesen Widerspruch muß ertragen, wer sich auf die ungeheure Welt Hochhuths einläßt.

> Geschichte: wer sie aushält,
> kennt sie nicht. Oder verstummt.[236]

[235] Rolf Hochhuth: Cicero (1995), a. a. O., S. 116.
[236] Rolf Hochhuth: Rom (1991), a. a. O., S. 339.

Kapitel 3

‚Es gibt nichts Schrecklicheres als Menschen' – Hochhuth und die Moral

‚Und die Moral von der Geschicht'?' ließe sich fragen mit den Worten Wilhelm Buschs, dessen Gesamtausgabe Rolf Hochhuth als Herausgeber – gemeinsam mit Theodor Heuss – schon 1959 den ersten Bucherfolg beschert. Um Hochhuth angemessen verstehen zu lernen, muß man sein Verständnis von Moral, welches das Religiöse und Geschichtliche inkludiert, versuchen zu verstehen. Seit Hochhuth schreibt, weckt *Moralisieren*, sofern es ebenso radikal (selbst)kritisch geschieht, wieder positive Konnotationen. Hochhuth hält unbeeindruckt von zeitgenössischen Moden fest an seinem Idol Schiller – dem ‚Moraltrompeter von Säckingen', wie ihn Nietzsche zu schimpfen pflegt –, wegen seiner „Humanität, der die Würde des einzelnen höher stand als jeder Wert sonst, als *jeder*, wie jede Zeile Schillers noch in seinen ästhetischen Schriften beweist, auch in den Gedichten:

> ‚Der Menschheit Würde ist in eure Hand gegeben –
> Bewahret sie!'"[237]

[237] Rolf Hochhuth: Räuber-Rede (1982), a. a. O., S. 71.

Gerhard Weiss' vortreffliche Charakterisierung faßt zusammen, was diese Arbeit im folgenden empirisch zu erweisen sich vorgenommen hat: „Rolf Hochhuth ist ein Schriftsteller, der sich und sein Werk sehr ernst nimmt. Er ist ein Missionar, der mit unbeirrbarem Eifer seine Sache vertritt: die moralische Verantwortlichkeit des Menschen. Für ihn gibt es keinen Kompromiß, für ihn gibt es keine Entschuldigung. Er selbst ist der konsequente Moralist, den er immer wieder in seinen Werken schildert. Er ist der ewige Protestant, und es ist kein Wunder, daß seine Schriften an die polemischen Kämpfe der Reformation erinnern. Als Autor mag Hochhuth noch viel zu lernen haben. [Diese Aussage ist durch ihr Datum – 1973 – teilweise entschuldbar.] In seinem konsequenten Moralismus aber ist er schon jetzt ein Beispiel für unsere Zeit."[238]

3.1 Adorno contra Hochhuth: Abdankung oder Feier des Subjekts?

Der nach Veröffentlichung des ‚Stellvertreter' als moralischer Rigorist verehrte wie verachtete Hochhuth begibt sich 1963 in eine ergreifende, von Germanisten und Philosophen gleichermaßen unbeachtete Kontroverse mit dem Gesellschaftskritiker Theodor Wiesengrund Adorno. Hochhuth antwortet auf die Frage ‚Soll das Theater die heutige Welt darstellen?' der Zeitschrift ‚Theater heute' mit einem Konzentrat seiner Vorstellung der Schaubühne als einer ‚moralischen Anstalt' (Schiller). „Den heutigen Menschen soll es darstellen"[239], beginnt er couragiert, es muß „ankämpfen gegen die bis zum Gähnen wiederholten Redensarten vom ‚Untergang des Individuums, als einer Kategorie der bürgerlichen Ära, in der durchorganisierten Industriegesellschaft' (Adorno)."[240] Inhuman und snobistisch mutet es an, darüber hinwegzutäuschen, „daß der einzelne heute wie immer individu-

[238]Gerhard Weiss: Rolf Hochhuth, in: Benno von Wiese (Hg.): Deutsche Dichter der Gegenwart. Ihr Leben und Werk, Berlin 1973, S. 629 f.

[239]Rolf Hochhuth: Soll das Theater die heutige Welt darstellen? Antworten auf Fragen der Zeitschrift *Theater heute*, in: ders.: Hebamme. Komödie. Erzählungen (1971), a. a. O., S. 299.

[240]Rolf Hochhuth: Soll das Theater (1971), a. a. O., S. 299.

ell sein Leid, sein Sterben ertragen muß“[241]. Wenn Adorno das historische Grauen der Anonymität am Werke sieht, so müßte er konsequenterweise gegen die Verurteilung von SS-Männern protestieren. Die Betrachtung der Masse von außen als quasi Unbeteiligter ist „das moralische Niveau, das den modernen Mördern und ihren gedankenlosen Zuhältern in allen Schichten ihr ‚geistiges' Rüstzeug gibt – und führt zu durchschlagend inhumanen Erkenntnissen wie: ‚Bei vielen Menschen ist es schon eine Unverschämtheit, wenn sie Ich sagen.'“[242] Ein Theater, das den einzelnen achtet, braucht sich durch kein weiteres Engagement auszuweisen, denn es leistet dadurch bereits mehr, als die gängige Mode erlaubt. Deshalb ist es die Hauptaufgabe des Dramas, darauf zu bestehen, „daß der Mensch ein verantwortliches Wesen ist.“[243]

Als Hochhuths Plädoyer für den verantwortlichen einzelnen als ein leidenschaftlicher Affront gegen Adorno – den er noch dazu im Vorspann als: „unser modischer Chef-Theoretiker“[244] tituliert – in der Festschrift zum achtzigsten Geburtstag von Georg Lukács erscheint, sieht sich der Frankfurter zu einer Replik genötigt. In seinem ‚Offenen Brief an Rolf Hochhuth' bezichtigt er den Schriftsteller, daß er wegen der Verwendung von konkreten geschichtlichen Ereignissen und Menschen einer ‚Ideologie des Besonderen' anhängt. Nur weil er, Adorno, den absurden Verfall des Individuellen im Massenbetrieb konstatiert, trägt er nicht auch automatisch dazu bei. Im Gegenteil, Hochhuth hat ihn da „schlicht mißverstanden“[245], denn er kritisiert ja diese Entwicklung und sieht deswegen gerade in der ab-

---

[241] Rolf Hochhuth: Soll das Theater (1971), a. a. O., S. 299. Auch Hochhuth selbst ist nicht gefeit vor solch subjektfeindlichen Formulierungen, korrigiert diese aber nach Möglichkeit. So berichtet er etwa: ein Geschützturm eines Schlachtschiffes explodierte „und zerriß fast vier Dutzend Matrosen. Wie ich das tippe, wird mir bewußt, daß es inhuman ist, von Menschen im Dutzend zu sprechen, denn jeder von ihnen war doch ein einzelner“ (Rolf Hochhuth: Syrakus (1995), a. a. O., S. 160).

[242] Rolf Hochhuth: Soll das Theater (1971), a. a. O., S. 302.

[243] Rolf Hochhuth: Soll das Theater (1971), a. a. O., S. 301.

[244] Rolf Hochhuth: „Die Rettung des Menschen“, in: Frank Benseler (Hg.): Festschrift zum achtzigsten Geburtstag von Georg Lukács, Neuwied – Berlin 1965, S. 484.

[245] Theodor W. Adorno: Offener Brief an Rolf Hochhuth, in: ders.: Gesammelte Schriften, Bd. 2, Noten zur Literatur, Frankfurt am Main 1974, S. 592.

surden Kunst das „richtige Bewußtsein“[246] am Werk. Es dünkt ihn daher der Satz von Lukács, von dem er, Hochhuth, ausgeht, – „in der Literatur ist ‚der konkrete, der besondere Mensch das Primäre, der Ausgangs- und Endpunkt des Gestaltens‘“[247] –, nicht so selbstverständlich. Wie das antike Drama das vom Mythos sich emanzipierende Subjekt darstellt, so muß gegenwärtiges Theater, das gescheiterte geschichtliche Projekt dieser Befreiung zum Thema haben. Adorno schließt in ‚aufrichtiger Hochschätzung‘, und er meint dies wohl auch ehrlich.

Im Vergleich hierzu nimmt sich die vorangegangene Realismus-Debatte zwischen Adorno und Lukács fast wie ein friedvoller Tratsch aus. Wie David den Goliath, so lockt nun der zweiunddreißigjährige gelernte Buchhändler und Autodidakt Rolf Hochhuth den sechzigjährigen Philosophieprofessor der Nation, Theodor Adorno, aus der Reserve. Daß er, der Emigrant jüdischer Abstammung, Mitverfasser der ‚Dialektik der Aufklärung‘ und Mitbegründer der Kritischen Theorie, wegen seiner Abdankung-des-Subjekts-Philosophie in die Nähe von Hitlers Schergen gebracht wird, die ihren Opfern das Menschsein absprachen, das drängt Adorno argumentativ in die Defensive. Er muß erklären, daß er, nicht weniger als Hochhuth, jeglicher massenfeindlichen Metaposition widersteht. Doch letztlich findet Versöhnung nicht statt, es bleibt dabei: Adorno lehnt jede realistische Abbildlichkeit, „Individualisierung und Moralisierung von Charakteren, die nach klassizistischen Mustern gebildete Tektonik der Handlungsführung (Exposition, Peripetie, Katastrophe), die fingierte Gegenwärtigkeit des Geschehens“[248] rundweg als affirmative Besänftigung ab. Hochhuth beharrt auf seiner moralischen Überzeugung der Entscheidungsfreiheit und somit Mithaftung des Individuums und mokiert sich noch dreizehn Jahre später – Adorno ist schon sieben Jahre tot – mit derselben Vehemenz in seiner Dankrede für den Basler Kunstpreis über die Adorno-Schule, welche „keinen einzigen Historiker hervorbrachte, keinen einzigen Kenner – dafür aber

[246] Theodor W. Adorno: Offener Brief (1974), a. a. O., S. 592.

[247] Theodor W. Adorno: Offener Brief (1974), a. a. O., S. 591.

[248] Peter Bekes: Dramaturgie der Versöhnung. Überlegungen zur Kontroverse zwischen Hochhuth und Adorno, in: Heinz L. Arnold (Hg.): Rolf Hochhuth, München 1978, S. 17.

zahllose Deuter der Geschichte“[249]. Daß er immun ist gegen die omnipotente Frankfurter Schule, in Hochhuths Vokabular die „Nachkriegsschule der Entmündigung des einzelnen“[250], verdankt er „der Urmaxime jenes Baslers, der sechzig Jahre lang in allen Werken ausging ‚vom einzigen bleibenden und für uns möglichen Zentrum, vom duldenden, strebenden und handelnden Menschen, wie er ist und immer war und sein wird‘, das verdanke ich Jacob Burckhardt, der mich nachhaltiger programmiert hat als jeder – als jeder – andere Autor“[251].

Während Adornos Geschichtspessimismus einhergeht mit seiner Theorie der Obsoletheit des Subjekts, stellt Hochhuths Paradoxon der sinnlosen Geschichte einerseits und der moralischen „Feier des einzelnen“[252] andererseits eine ungeheure Zerreißprobe dar. Doch gerade das unbekömmlich Widersprüchliche einer solchen Moral-Konzeption, – die Teile machen Sinn, während ihre Summe sinnlos ist –, dieses Hochhuthsche Tertium datur macht die Beschäftigung mit diesem Werk zu einer so unabweisbaren Herausforderung.

3.2 Antinomie der Moralen oder Wie Tragödie funktioniert

Das *rein* historische Drama wie das *reine* Dokumentarstück sind Hochhuths Sache nicht. Wenn er geschichtliche Ereignisse oder Persönlichkeiten in Angriff nimmt, so geschieht dies zwar stets unter maximaler Berücksichtigung des tatsächlichen Hergangs und Charakters, aber niemals als geschichtliches L'art pour l'art. Hochhuths Arbeiten wollen über die historische Wahrhaftigkeit hinaus immer auch einen moralischen Mehrwert generieren. Indem der Autor die für viele unproblematische, weil vergangene Wirklichkeit durch theatralische Darstellung wiederholt, wird der Diskurs auf eine neue qualitative Ebene verlagert. Es interessiert nicht mehr

[249] Rolf Hochhuth: Tell 38 (1979), a. a. O., S. 13.
[250] Rolf Hochhuth: Tell 38 (1979), a. a. O., S. 13.
[251] Rolf Hochhuth: Tell 38 (1979), a. a. O., S. 13 f.
[252] Fritz J. Raddatz: Pessimist (1981), a. a. O., S. 36.

nur, ob das Dargebotene historisch, sondern auch, ob es moralisch richtig oder falsch ist. Weil die Priorität des Eschwegers nicht in der Richtigkeit einer Sache, sondern in der Integrität von Personen und ihrem Handeln liegt, kann man sein Schaffen wohl als genuin *moralisch* bezeichnen – auch auf die Gefahr hin, daß der Autor selbst mit einer solchen Klassifizierung Probleme hat. Ein Ausschnitt aus einem Disput mit Günter Gaus gibt zumindest einen Hinweis darauf, daß er sich nicht so ohne weiteres mit der Rolle des Moralisten identifiziert: *„Sie sind ein Moralist, Herr Hochhuth ...* schreckliches Wort, Herr Gaus ... *auch wenn sie es nicht gerne hören, aber Sie sind es* ... Was ist ein Moralist? ... *Hochhuth ist ein Moralist. Die Bühne ist für Sie, wie sie es für Schiller war, eine moralische Anstalt, sie sind ein Aufklärer.*“[253]

Hochhuths Literatur ist für die lebenden Menschen geschrieben, von deren Versagen und Unverbesserlichkeit er gleichzeitig überzeugt ist. Die Zeit des Geschehens ist immer die mangelhafte Gegenwart, der Ort das moralisch verantwortliche Individuum. Wie Sören Kierkegaard das Verdienst zuzuschreiben ist, daß er den einzelnen als sittlich-religiöse Kategorie entdeckt hat, so kommt es Rolf Hochhuth zu, als Entdecker des haftbaren einzelnen für das Drama zu gelten. Auch im Massenzeitalter handelt der Mensch nie en masse, – so könnte man Hochhuth und Kierkegaard auf einen Nenner bringen –, sondern stets als einzelner, der sich vor seinem Gewissen zu verantworten hat.

Es findet diese Haltung „ihre natürliche Ausdrucksform in der Tragödie, die Hochhuth in fast klassischem Sinne aufbaut. Es ist die Pflicht des verantwortlichen Menschen, sich gegen die ‚Unmoral‘ aufzulehnen, es ist aber auch gleichzeitig sein Schicksal, durch diese Auflehnung zerstört zu werden.“[254] Der Jesuit Riccardo Fontana geht als ‚Stellvertreter‘ für den Papst ins Konzentrationslager, der aufgeflogene ‚Guerilla‘ Senator David Nicolson wird von CIA-Kollegen erschlagen, Anne, die ‚Berliner Antigone‘, in Plötzensee guillotiniert.

---

[253]Gaus im Gespräch (1993), a. a. O., S. 45.

[254]Gerhard Weiss: Hochhuth (1973), a. a. O., S. 622.

In ‚Soldaten‘ macht sich Winston Churchill im Kampf gegen den Installateur von Auschwitz, Adolf Hitler, selbst schuldig, entsprechend dem Diktum Golo Manns, daß im Krieg die Gegner ihre Eigenschaften austauschen. Weil es für eine Tragödie immer des Konflikts zwischen zwei moralisch ebenbürtigen Gegenspielern bedarf, hat die Figur Hitler hier keinen Platz. Im Dialog zwischen dem Bischof von Chichester, Bell, und dem britischen Premierminister (PM) Churchill wird der Nerv der Tragödie Dresden herauspräpariert: „Bell: Scheuen Sie nicht Taten, / die man als Mord bezeichnet, wenn Hitler sie tut? PM (*ehrlich*): Nein. Das Schlachtfeld ist – das Niveau des *Gegners*. / Wie sonst kann ich ihn würgen und zertreten“[255]. Die moralische Frage, ob die Bombardierung von Zivilisten nicht ein Verrat an den Idealen der Alliierten ist, findet eine vorübergehende Antwort in Bells Zugeständnis: „[...] dies ist kein Krieg um Herrschaft, / um Machtzuwachs, sein Ziel ist allein, / die Rechte des Individuums zu behaupten, / die Wiedergeburt des Menschlichen.“[256]

Das Stück ‚Soldaten‘, geschickt konzipiert als eine Generalprobe für ein Churchill-Stück in der Ruine der Kathedrale Sankt Michael in Coventry, spielt 1964, hundert Jahre nach der von Henri Dunant angeregten Genfer Konvention. Hochhuth äußert sein Unbehagen darüber, daß zwar ein Seekriegsrecht und ein Landkriegsrecht existieren, nicht aber ein Luftkriegsrecht, das den Beschuß von Städten als Unrecht klassifiziert. Somit sind weder die Auslöschung Amsterdams, Coventrys, noch die Dresdens oder Hiroschimas rechtswidrig erfolgt.

Der Brite David Irving überliefert, daß ein gewisser T. D. Weldon, ein Moraltheologe vom Magdalen College in Oxford, es fertigbrachte, zur moralischen Unterstützung der englischen Bomberpiloten einen Vortrag über ‚Die Ethik des Bombardierens‘ zu halten. Für Deutschland allerdings gilt,

---

[255] Rolf Hochhuth: Soldaten (1991), a. a. O., S. 668.
[256] Rolf Hochhuth: Soldaten (1991), a. a. O., S. 679.

kommentiert Hochhuth, daß in jener Zeit „überhaupt nicht mehr von Ethik die Rede war. Und mit Moraltheologen sprachen die SS-Banditen höchstens vor deren Ermordung.“[257]

Dorland (so heißt vermutlich auch der Verfasser des ‚Everyman‘ von 1509), der Regisseur im Stück, der als Pilot an der Bombardierung Dresdens beteiligt war und sich wegen vereister Tragflächen mit dem Fallschirm retten mußte, wurde von Dresdnern gezwungen, die verkohlten Leichen auf einen Scheiterhaufen zu schleppen. Er erinnert sich: „Und diese Frau – als erste … / Die Frau saß da, wie sie die Hitze hingeworfen hatte, / die Glut des einkreisenden Feuerwindes, / Augen und Fleisch herausgeschmolzen, / nur ihr Nasenbein, unerklärbar, / war noch bedeckt mit Haut, wie imprägniert. / Und ihr Haar war erhalten … [Er sagt das, während das Bild der beschriebenen Frau – laut Regieanweisung – über die Szene eingeblendet wird.] Erst mein Opfer, jetzt mein Verfolger, bald mein Abbild.“[258]

Der auf Zivilsten zielt, ist kein Soldat, sondern Mörder – so lautet Hochhuths Variation auf Tucholsky. Doch Bombermarschälle sind auch nach dem Zweiten Weltkrieg für ihre Verbrechen nie zur Verantwortung gezogen worden. Dorlands Diktum über den Wahnsinn des Kriegs – „Ein Orden und der Galgen werden auf dem / gleichen Weg verdient.“[259] – ist so erschütternd wie wahr. Es folgt ein leidenschaftliches, weil Hochhuthsches Plädoyer für den belangbaren Menschen hinter der militärischen Maske: „Uniformen haben am Hals ihre Grenze – / daher ich die klassische Ausrede / unsres Zeitalters der Verantwortungsflucht: / Befehlsnotstand – nie ernst genommen habe. / Wir *haben* es getan.“[260] Hochhuth räumt ein für alle Male auf mit der abgenutzten Ausrede, daß es ein anderer getan hätte, wenn man sich selbst geweigert hätte. Das ist so grotesk, wie wenn man ein Verbrechen begeht unter Berufung auf die Kriminalstatistik, die eine

[257] Rolf Hochhuth: ‚Hamburg – Hammerbrook: 361,5 Tote auf tausend Einwohner‘, in: ders.: Schwarze Segel. Essays und Gedichte, Reinbek bei Hamburg 1986, S. 197.
[258] Rolf Hochhuth: Soldaten (1991), a. a. O., S. 471.
[259] Rolf Hochhuth: Soldaten (1991), a. a. O., S. 485.
[260] Rolf Hochhuth: Soldaten (1991), a. a. O., S. 505 f.

Durchschnittszahl von Vergehen vorgibt. „Gegen Soldaten hege ich den Verdacht: / sie ziehen die Uniform an, *damit* sie aufhören, / einzelne zu sein, von anderen unterscheidbar, / persönlich haftpflichtig."[261]

3.3 Gegen Hitler, gegen Krieg. In memoriam Johann Georg Elser

Hochhuth ist einer der ersten Schriftsteller, die den Hitler-Attentäter Johann Georg Elser ins öffentliche Gedächtnis rufen. In der Parkszene von ‚Soldaten' legt er dem Premierminister Churchill die Worte in den Mund: „*Zehn* Jahre regiert der Mann [Hitler] jetzt, und nur *eine* Gruppe, / meines Wissens, hat bis zu diesem Tag in Deutschland / aktiv gekämpft und wurde ausgerottet: / die Salon-Kommunisten im Berliner Luftfahrtministerium, / siebzig Männer und Frauen um den Neffen von Tirpitz – / die und der einsame Münchner Attentäter, / dieser große Mann: / die handelten tatsächlich."[262] Erst einunddreißig Jahre nach dieser Erwähnung, am 14. Februar 1998, wird in Königsbronn eine umfassende Georg Elser Gedenkstätte eröffnet – schon mehr ein Skandal als eine späte Ehrenrettung.

Der 1903 im württembergischen Hermaringen geborene Elser ist ein hochtalentierter Handwerker, er ist gelernter Schreiner und spielt Zither, Bandoneon und Kontrabaß. Etwa 1929 tritt er dem Konstanzer Roten Frontkämpferbund bei und entschließt sich bereits Ende 1938 im völligen Alleingang zur Beseitigung Hitlers, um ‚den drohenden Krieg' und ‚noch größeres Blutvergießen' zu verhindern. Um an das Dynamit und die Zünder zu kommen, arbeitet Elser in einem Königsbronner Steinbruch. Fünfunddreißig Nächte versteckt er sich nach Sperrstunde im Münchner Bürgerbräukeller, um in die tragende Säule direkt hinter dem Rednerpult eine genial ausgetüftelte Zeitbombe einzubauen. Der Zünder ist auf den 8. November 1939, 21.20 Uhr eingestellt, also gegen Ende von Hitlers Gedenkrede

[261] Rolf Hochhuth: Soldaten (1991), a. a. O., S. 505 f.
[262] Rolf Hochhuth: Soldaten (1991), a. a. O., S. 689 f.

zum Putsch von 1923. Der Leiter der Gestapo-Täterkommission Huber wird Elser schon vier Tage später anhand der durch diese mühselige Arbeit entzündeten Knie überführen. Hitler entschließt sich wegen des schlechten Wetters, anstelle des Flugzeugs den Sonderzug zur Weiterfahrt nach Berlin zu benutzen und verläßt deshalb schon um 21.07 Uhr den Bürgerbräukeller. Dreizehn Minuten später liegt der Saal in Schutt und Asche, acht Nazis kommen um, Dutzende werden verletzt. Elser wird beim Versuch, in die Schweiz zu gelangen, festgenommen, weil man in ihm einen Deserteur vermutet. Man findet bei ihm eine Ansichtskarte des Bürgerbräukellers, ein kommunistisches Abzeichen sowie Teile des Zeitzünders. Noch heute möchte man darob verzweifeln, wie dieser hochintelligente Mann so blauäugig sein konnte, denn es folgen unbeschreibliche Folterqualen bis zu seiner Erschießung am 9. April 1945 (sic!) in Dachau, am selben Tag da Bonhoeffer und andere Widerstandskämpfer im Konzentrationslager Flossenbürg ermordet werden.

Keiner will an die Alleintäterschaft des Hermaringers glauben: Für die Nazi-Presse steckt der britische Secret Service hinter dem Anschlag, die Briten bezichtigen die Nationalsozialisten, das Attentat selbst inszeniert zu haben à la Reichstagsbrand. Die NS-Führung will Elser ursprünglich für einen Schauprozeß vor dem Volksgerichtshof bis zum Ende des Krieges aufsparen, doch als die Niederlage sich abzeichnet, ergeht an den Lagerkommandanten von Dachau die feige Weisung ‚von höchster Stelle' betreffend den Schutzhäftling ‚Eller': „Bei einem der nächsten Terrorangriffe auf München bzw. auf die Umgebung von Dachau ist angeblich ‚Eller' tödlich verunglückt. Ich bitte, zu diesem Zweck ‚Eller' in absolut unauffälliger Weise nach Eintritt einer solchen Situation zu liquidieren."[263] Es sollte so aussehen, als hätten Bomben der Alliierten Elser getötet.

[263] Georg-Elser-Arbeitskreis (Hg.): Georg Elser. Gegen Hitler – gegen den Krieg!, Heidenheim 1989, S. 65.

„Der Führer wie durch ein Wunder gerettet“, heißt es im Völkischen Beobachter, „wir glauben an die Sendung des Führers“[264]. Als Christ möchte man im Boden versinken, wenn man von den Reaktionen der Kirchen liest: „Nicht nur, daß der Sprengstoffanschlag scharf verurteilt wurde – es wurden sogar Dankgottesdienste ‚für die Errettung des Führers‘ abgehalten. Die Empörung der evangelischen Kirche über den Anschlag gipfelte in einem Telegramm der Kirchenleitung an Hitler [...]: ‚Mit dem ganzen deutschen Volk dankt die Deutsche Evangelische Kirche dem allmächtigen Gott für Ihre gnädige Bewachung vor dem verbrecherischen Anschlag in München. Sie betet zu ihm, daß er Sie auch fernerhin in seinen treuen Schutz nehme.‘ [...] In vielen Schulen wurde – laut SS-Berichten – der Choral ‚Nun danket alle Gott‘ gesungen.“[265]

Wenn man an die Attentatsversuche von Bavaud oder Stauffenberg denkt, muß man mit Entsetzen für möglich halten, daß diese Gebete erhört wurden. Der nicht praktizierende Christ Elser geht laut Protokollangaben vor dem Attentat ungefähr dreißigmal in eine Kirche, um ein Vaterunser zu sprechen. Dennoch ist es nach Meinung von Joseph Peter Stern, dem Prager Professor für deutsche Literatur am Londoner University College, „nicht sein christlicher Glaube, der ihn zur Tat trieb, sondern im Gegenteil seine Tat, die ihn zum Glauben trieb – d. h. es war die Angst, eine für uns, die wir heute in den relativ freien Ländern des Westens leben, kaum vorstellbare Angst – die ihn auf der Suche nach Trost und Zuversicht in die Kirchen trieb, um dort (wie er sagt) ‚mein Vaterunser zu beten. Es spielt meines Erachtens keine Rolle‘ – so fährt er fort in seiner Aussage – ‚ob man dies in einer katholischen oder evangelischen Kirche tut“[266]. Gänzlich unprätentiös ist denn auch das Credo, das Elser seinen Peinigern ins Protokollheft diktiert: „Ich glaube, daß die ganze Welt und auch das menschliche Leben von Gott geschaffen wurde. Ich glaube auch, daß sich nichts in der Welt abspielt, von dem Gott nichts weiß. Die Menschen werden wohl ei-

---

[264] Georg-Elser-Arbeitskreis (Hg.): Georg Elser (1989), a. a. O., S. 54.
[265] Georg-Elser-Arbeitskreis (Hg.): Georg Elser (1989), a. a. O., S. 57 f.
[266] Joseph Peter Stern: Johann Georg Elser zu Ehren, in: Georg-Elser-Arbeitskreis (Hg.): Georg Elser (1989), a. a. O., S. 99.

nen freien Lauf haben, aber Gott kann sich dreinmischen, wann er will. Er hat mir auch meinen freien Lauf gelassen. Ob er sich bei meiner Tat auch mit dreingemischt hat und den Führer früher weggehen ließ, weiß ich nicht."[267] Man kann die erschütternde Ahnung, die hinter diesem ‚weiß ich nicht' steckt, ruhig aussprechen: Ein Gott, der Hitler entkommen und ihn zum bestialischsten Massenmörder, den die Welt je gesehen hat, gedeihen läßt, trägt auch Schuld. Hätte dieser Gott die Möglichkeit gehabt, sich ‚dreinzumischen', gibt es keinerlei Entschuldigung – schon gar nicht die der Willensfreiheit des Menschen. Diese geschichtliche Konklusion muß auch theologisch endlich ernst genommen werden.

Elser ist vernichtet, moralisch gebrochen, als er zur Überzeugung gelangen muß, daß Gott seine Tat verworfen hat: „Ich glaube an ein Weiterleben der Seele nach dem Tode, und ich glaubte (sic!) auch, daß ich einmal in den Himmel kommen würde, wenn ich noch Gelegenheit gehabt hätte, durch mein ferneres Leben zu beweisen, daß ich Gutes wollte. Ich wollte ja auch durch meine Tat ein noch größeres Blutvergießen verhindern."[268] Daß – mit Nietzsche gesprochen – der Wahnsinn bei einzelnen selten, bei Völkern aber die Regel ist, zeigt die kolossale Konstellation, daß ein ganzes Volk vertrottelt dem Führer zukreischt und Verbrechen begeht, während ein arbeitsloser Schreiner als einziger – als einziger – bei Verstand bleibt und den Mut und die Courage für den Tyrannenmord aufbringt mittels einer Anlage, die ihm allein zu dieser Zeit vorbehalten zu sein scheint: mittels seines Gewissens.

„Das Schicksal", so resümiert Hochhuth, „wer oder was immer das sein mag, bewahrte ihn auf, ‚Endlösung' und Rußlandfeldzug anzuordnen, jene zwei ‚gewaltigsten' seiner Aktionen, die er nachweislich ganz allein und gegen den Rat ausnahmslos aller seiner Mitverbrecher gewollt und ‚auf den Weg gebracht' hat … Warum das ‚Schicksal' ihn dazu aufbewahrte: kann man nicht genug begrübeln, so zwecklos das auch ist."[269] Was Hitler an

[267] Joseph Peter Stern: Elser zu Ehren (1989), a. a. O., S. 105.
[268] Rolf Hochhuth: Baßgeige (1991), a. a. O., S. 135.
[269] Rolf Hochhuth: Baßgeige (1991), a. a. O., S. 130.

wundersamem Schutz widerfährt, das trifft Elser in dreifacher Tragik: Er verfehlt Hitler um dreizehn Minuten, dreißig Meter vor Schweizer Staatsgebiet wird er festgenommen, drei Wochen bevor US-Truppen Dachau befreien, wird er hingerichtet. – Keine Theodizee der Welt kann das geradebiegen.

Die Nachwelt verstärkt – durch ihr selektives Erinnerungsvermögen – das grauenhafte Unrecht, das den Betroffenen widerfuhr, denn „sogar *das* noch tut die Geschichte den Opfern an: daß sie auf Kosten dieser Opfer die Namen ihrer Mörder um so sicherer in die Zukunft trägt, um so weitreichender auch, je *mehr* die zur Strecke brachten. Haben sie endlich ‚Liquidierte' nach Millionen zu ‚verzeichnen', so sind die – die Opfer – nur noch als Nullen überhaupt ‚sichtbar'; ihre Mörder dagegen werden biographisch um so gründlicher tradiert, je mehr sie ermordeten. Schon heute steht kein Vergaster uns mehr so deutlich vor Augen wie Höß, der Auschwitz-Kommandant!"[270] Weder in der Brockhaus- noch in der Meyer-Enzyklopädie wird das Stichwort ‚Elser' aufgeführt, während sämtliche Nazigrößen durch ausführliche Artikel und Bilder bewahrt werden. Hochhuth bezeichnet diese Lexika als ‚Geschichtsfälschungen'. Ihnen setzt er sein Schriftsteller-Ethos entgegen: „Jede Dichtung (ist) ein Plädoyer für den Einzelgänger, und das hat um so beredter zu sein, je weniger die Institutionen das Individuum noch zulassen wollen zur Mitwirkung, auch zur Repräsentation. Heutzutage wird ja ‚sachlich sein' als Tugend ausgeschrien – ‚menschlich sein' wäre eine!"[271]

---

[270] Rolf Hochhuth: Tell gegen Hitler, in: ders.: Tell gegen Hitler (1992), a. a. O., S. 133 f.
[271] Rolf Hochhuth: Tell gegen Hitler (1992), a. a. O., S. 152.

3.4 Antigone: Thebanische und Berliner Lästerung der Herren

Die Gestalt des Sisyphus, der anstatt des erstrebten ewigen Lebens in der Unterwelt stets von neuem einen Felsblock einen steilen Berg hinaufwälzen muß, steht für den einzelnen, der in und gegen Geschichte sich behauptet. Nicht mythisch ist diese Figur, sondern „die politisch vorbildlichste; schon das ‚Verbrechen', das zu seiner Verurteilung führte, macht ihn unendlich sympathisch und gegenwärtig: die Lästerung des ‚Herrn'! Politik fängt stets damit an, daß man gegen eine Autorität rebelliert; die Menschenwürde beginnt, wo man einem ‚Herrn' sagt, daß man ihn nicht anerkennt."[272] Diesen letzten Satz wollen wir herauspräparieren, weil er unseres Erachtens die Hochhuthsche Ethik repräsentiert:

Menschenwürde beginnt, wo man einem ‚Herrn' sagt, daß man ihn nicht anerkennt.

Und so beginnt mit der Menschenwürde auch der Leidensweg des Menschen, weil nur außerhalb von entstellender Beherrschung der einzelne sein Gesicht zu wahren vermag. Die Besonderheit des Menschen liegt in seiner – zumeist verschütteten – Fähigkeit und daher auch Pflicht zur Rebellion gegen das schlechte Faktische. Die zutiefst moralische, weil politische Tat der Antigone – den Bruder gegen das staatlich verordnete Bestattungsverbot zu begraben – gilt Hochhuth als leuchtendes Exemplum zivilen Ungehorsams für alle Zeiten. „Schön dünkt mich der Tod für solche Tat"[273], verkündet Antigone im Bewußtsein höchster Pflichterfüllung, während ihre Schwester Ismene ausspricht, was die Mehrheit unter allen Regimen tut und denkt: Ich „füge mich dem Zwang / Und folge denen, welche im Besitz der Macht."[274]

[272] Rolf Hochhuth: Tell gegen Hitler, in: ders.: Tell gegen Hitler (1992), a. a. O., S. 133 f.
[273] Sophokles: Antigone, in: ders.: Sämtliche Werke, Essen 1989, S. 157.
[274] Sophokles: Antigone (1989), a. a. O., S. 157.

Den Stoff für seine Antigone entnimmt Sophokles dem althellenischen Thebais-Epos und gestaltet daraus die Urform des moralischen Dilemmas, durch die sich seither Menschen aller Zeiten und Kulturen angesprochen fühlen. Walter Hasenclevers ‚Antigone' von 1917 gilt als Manifest des Pazifismus, Jean Anouilh macht aus der Geschichte ein subtiles Widerstandsstück gegen die Hitlertruppen in Frankreich. Noch 1978, als Behörden die Herausgabe der Leichen von RAF-Mitgliedern nach deren Selbstmord in der Stammheimer Haft verweigern, führt Heinrich Bölls Drehbuchtitel ‚Die verschobene Antigone' zum Eklat. Intendanten wie Politiker sehen darin eine Aufforderung an die Jugend zur Subversion.

Mit der Transformation des dionysischen Maskenspiels zur dialogisch handelnden Tragödie geht auch ein fundamentaler Wandel im Selbst- und Wirklichkeitsverständnis einher. Die einstigen Teilnehmer am rauschhaften Kult werden zum statisch reflektierenden Publikum eines lehrhaften Schaustücks, das keine unmittelbare Wirklichkeit, wohl aber Wahrheit abzubilden beansprucht. „Wenn man vor der Tragödie fragt: ‚Ist das wahr, was hier gespielt wird?', so kann man nur mit Nein antworten. Ist es aber deshalb gelogen?"[275]

Das Schicksal, die Moira, dämpft die subjektive Schuldfähigkeit – eine in diesem Zusammenhang ohnehin anachronistische Terminologie –, stellt sie aber nicht außer Diskussion. Kreon, der unfreiwillige Bösewicht, zeigt noch Reue, bevor das Unheil auf ihn hereinbricht. Der eigene Tod entpuppt sich als magische Grenze menschlicher Verrücktheit, er allein sensibilisiert für die Flüchtigkeit des zarten Menschenglücks. Antigone zeigt nicht nur, wie Lebende sich gegenüber Toten, sondern auch, wie Lebende sich ihrem eigenen Tod gegenüber zu verhalten haben. Rudolf Bultmann deutet die Moralität Antigones als Vorauswirkung ihrer Todesgewißheit, denn „die Macht des Hades wird nicht durch stumme Resignation anerkannt, sondern ihr sich beugen heißt, *im konkreten Augenblick richtig handeln*. Der Blick auf das Jenseits macht die Fragen des Diesseits durchsichtig und lehrt, den rech-

[275] Eberhard Hermes: Interpretationshilfen – Der Antigone-Stoff: Sophokles, Anouilh, Brecht, Hochhuth, Stuttgart 1996, S. 25.

ten Entschluß zu ergreifen. […] Und eben daher gewinnt auch Antigone die Richtung ihres Handelns. Denn ihr berühmtes Wort ‚Nicht mitzuhassen, mitzulieben bin ich da' ist nicht eine allgemeine moralische Sentenz, sondern entspringt ihrem Wissen, daß sie von der Macht des Hades umfangen ist."[276] Antigones Rechtsverständnis wird durch ein Nachirdisches legitimiert, nicht mehr durch die kontingente Gesetzgebung eines Weltfürsten. Das griechische Drama – der Grundbedeutung nach ‚Handlung', ‚Geschehen' – birgt den Beginn denkerischer Betrachtung menschlichen Handelns, es ist die Urzelle europäischer Ethik.

1961, zwei Jahre vor der ‚Stellvertreter'-Uraufführung, entsteht eine ganz andere Aufbereitung dieses antiken Stoffes. Der Dramatiker Hochhuth bringt die Tragödie in Novellenform – nach Storm die Schwester des Dramas –, und es entsteht der auf zehn Seiten zusammengeballte Geniestreich ‚Die Berliner Antigone'. Die Medizinstudentin Anne holt während eines Fliegerangriffs den Leichnam ihres Bruders aus der Anatomie der Berliner Friedrich-Wilhelm-Universität, um ihn zu begraben. Sie wird von einer Studienkollegin beobachtet und denunziert. Der Bruder, der in Stalingrad gekämpft hatte, wurde erhängt, weil er erklärt hatte, „nicht die Russen, sondern der Führer habe die 6. Armee zugrunde gerichtet."[277] Anne verstößt durch ihr Verhalten gegen Hitlers Anweisung, politischen Delinquenten das Begräbnis zu verweigern. Sie muß daher, so ordnet es der Führer persönlich an, „in eigener Person der Anatomie die Leiche zurückerstatten"[278], eine Formulierung, die der Generalrichter, der Vater ihres Verlobten Bodo, so auszulegen versucht, daß Anne den Beerdigten zurückbringen darf und dann straffrei bleibt. Sie verweigert jedoch die Preisgabe des Beerdigungsortes, worauf der Richter die Nerven verliert: „Sie können sich 24 Stunden überlegen, ob ihre Helfershelfer in der Anatomie die Leiche Ihres Bruders dort wieder vorfinden – oder ob die Mitwisser durch Einlieferung *Ihres* Kör-

[276] Rudolf Bultmann: Polis und Hades in der Antigone des Sophokles, in: ders.: Glauben und Verstehen, Bd. 2, Tübingen 1968, S. 29 f.
[277] Rolf Hochhuth: Die Berliner Antigone, in: ders.: Hebamme. Komödie. Erzählungen (1971), a. a. O., S. 43.
[278] Rolf Hochhuth: Antigone (1971), a. a. O., S. 43.

pers, Kopf vom Rumpf getrennt, darüber aufgeklärt werden sollen, daß wir Nationalsozialisten jeden defätistischen Ungehorsam rücksichtslos ausmerzen."[279]

Anders als die klassische Heldin wird Anne von Todesangst verzehrt. Sie kann durch einen hilfreichen Wärter einen Brief an Bodo aus dem Gefängnis schmuggeln, in dem sie dem Verlobten von dem Ultimatum schreibt, und daß sie es nicht für sinnlos hält, für ihre Tat zu sterben. Pfarrer Ohms Besuche in der Zelle machen ihr zu schaffen, denn er versucht ihr klarzumachen, „daß ein Unbestatteter nach christlicher Auffassung nicht ruhelos bleibe. Und sosehr sie seine Besuche herbeisehnte, so erleichtert war sie, wenn er ging."[280] Ihr Geheimnis teilt sie auch ihm nicht mit: daß der Bruder unter einem verwitterten Grabstein mit der unleserlichen Inschrift des Verses 5,29 aus der Apostelgeschichte begraben liegt.

„Gott muß man mehr gehorchen als den Menschen"[281] – dies ist das lukanische Pendant zu Antigones Schelte gegen Kreon: „Und deine Machtvollkommenheit gilt mir so hoch / Nicht, daß, ein Sterblicher, du hinweg dich setzen darfst / Über der Götter ungeschriebnes, ewiges Recht."[282]

Wegen einem neuerlichen Luftangriff, bei dem auch das Gerichtshof-Areal getroffen wird, verlängert sich Annes Bedenkzeit auf elf Tage. Zwei Nächte muß sie mit einer zum Tode Verurteilten – die Neunzehnjährige hat sich in einer Dresdner Bäckerei satt gegessen – die Zelle teilen. Als man das Mädchen abholt, „umarmten und küßten sie sich – Schwestern vor dem Henker; und Anne, durch die Berührung mit dem schon ausgebluteten Gesicht der Gefährtin jäh wie vom kalten Stahl des Fallbeils selbst angerührt, wurde mit einem Schnitt innerlich abgetrennt von ihrer Tat: Sie begriff das Mädchen nicht mehr, das seinen Bruder bestattet hatte – wollte es nicht mehr

[279] Rolf Hochhuth: Antigone (1971), a. a. O., S. 45.
[280] Rolf Hochhuth: Antigone (1971), a. a. O., S. 47 f.
[281] Eleonore Beck / Gabriele Miller / Eugen Sitarz (Hg.): Das Neue Testament. Übersetzt von Fridolin Stier, München – Düsseldorf 1989, S. 266.
[282] Sophokles: Antigone (1989), a. a. O., S. 171.

sein, wollte zurücknehmen. Damit war sie vernichtet."[283] Als sie auf diese Weise mürbe geworden das Grab ihres Bruders preiszugeben bereit ist, teilt ihr Pfarrer Ohm den Selbstmord ihres Verlobten Bodo mit. Er hat sich in einem russischen Landhaus das Leben genommen, Annes Brief in Händen. „Bodo wollte bei Ihnen sein. Er glaubte doch – er dachte, Sie seien schon ... tot."[284]

Ganz anders als die sophokleische Heroine folgt Hochhuths Antigone keiner religiös-idealistischen oder politischen Überzeugung, sondern ihrem Gefühl. Weil sie zu wahrhaft ist, fehlt ihr jede Handhabe gegen den sekkanten Zweifel. Sie weiß jetzt, „daß allein der Tod uns beschützen kann."[285] Und ‚Die Berliner Antigone' sinkt bis zur letzten, für den Griechen undenkbare Tragik hinab, wenn sie hinzufügt: „Der Tod, nicht Gott."[286] Von oben ist erwiesenermaßen nichts zu erhoffen, wenn es dem Ende zugeht, und doch läßt sich Gottes ‚kosmische Gleichgültigkeit' leichter ertragen, als die Niederträchtigkeit von Menschen.

Der ‚Endvollzug' beginnt, das Gnadengesuch ist abgelehnt, kahlgeschoren, ohne Nahrung, wird Anne an einen Mauerring gefesselt. Hier verläßt nun auch der Autor das unbeschreibliche Geschehen, „Pfarrer Ohm schrieb einige Jahre später auf eine Anfrage: ‚Ersparen Sie sich die technischen Einzelheiten, mein Haar ist darüber weiß geworden.'"[287]

269 hingerichtete Frauen, so endet die Novelle, werden während der Nazi-Ära der Berliner Anatomie überstellt. Auch im Anatomischen Institut in „Tübingen hat man erst dieses Jahr [1989] [...] dort liegende Skelette als Juden identifiziert, die in Auschwitz vergast oder von Ärzten bei medizinischen Versuchen totgequält worden waren"[288]. Wenn es auch keinen Trost gibt für die Opfer des Holocaust, so doch die Gewißheit, daß der deut-

[283] Rolf Hochhuth: Antigone (1971), a. a. O., S. 48.
[284] Rolf Hochhuth: Antigone (1971), a. a. O., S. 49.
[285] Rolf Hochhuth: Antigone (1971), a. a. O., S. 50.
[286] Rolf Hochhuth: Antigone (1971), a. a. O., S. 50.
[287] Rolf Hochhuth: Antigone (1971), a. a. O., S. 51.
[288] Rolf Hochhuth: Tell gegen Hitler (1992), a. a. O., S. 140.

sche Schriftsteller Rolf Hochhuth mit jedem Wort, das er schreibt, ihrer in tiefster Anteilnahme gedenkt. So auch in dem Gedicht ‚Plötzensee', das er zwei 1943 exekutierten Frauen widmet:

> Wer sterblich ist, verzweifelt, kündigt Helle
> den Todestag an, weil kein Amt, kein Gott Gehör
> dem Antrag gab um ‚Aufschub', dem Gebet …
> Was für ein Wort: Im Morgen-‚Grauen'!
> Kein Schrei, kaum Tränen.[289]

Während Hochhuth in seinen Stücken die Idee einer letztgültigen, absoluten Perspektive des Ethischen vermittelt – Riccardo Fontana, David Nicolson, Oberschwester Sophie oder Judith verkörpern diese –, so sieht er in der öffentlichen Moral lediglich eine an Lebensnotwendigkeiten orientierte und von zeitlichen und räumlichen Faktoren abhängige Auffassung. Beide aber, die heldische Moral als Konstante und die konventionelle Moral als Variable, sinnen letztlich auf ein durables Glück für den einzelnen. Der Definitionsspielraum für ein solches Glück allerdings ist sehr weit. So kommt etwa die Diskussion um die Sterbehilfe exakt zu dem Zeitpunkt wieder auf, „zu dem Großstädte damit beginnen, ihren Bewohnern ein Grab zu verweigern und die Kremation der Toten zu verordnen, während sie für Park- und Sportplätze immer Platz genug finden"[290].

3.5 Revolution durch Infiltration. Eine Anleitung zum Staatsstreich

Ziviler Ungehorsam bis hin zum Tyrannenmord sind bei Hochhuth keine leeren Schlagwörter, sondern eine fast systematisch erörterte Lebensform für den moralisch-kritischen Bürger. Hochhuth, der über dreißig Jahre hinweg FDP wählt, während alle Welt ihn wegen seines subversiven Humanismus für einen Linken hält, entwirft in ‚Guerillas' einen ähnlich undif-

[289] Rolf Hochhuth: Salzburger (1991), a. a. O., S. 746.
[290] Rolf Hochhuth: Tod eines Jägers, in: ders.: Dramen 2 (1991), a. a. O., S. 1703.

ferenzierten Antiamerikanismus wie die 68er-Bewegung: „Da die USA im Zeitalter der Wasserstoffbombe von einem äußeren Aggressor nur um den Preis des Selbstmords zugrunde gerichtet werden könnten, wird es also der Bürgerkrieg sein, der das vollbringt – sofern nicht ein Coup d'État von links die Mehrzahl ihrer Bürger bald zu ihrem Recht kommen läßt."[291] Nur durch Revolution – Hochhuth hat diese Meinung inzwischen geändert[292] – kann die planmäßige Entrechtung der Mehrheit durch den Wirtschafts-Darwinismus umgedreht werden, der ja nur eine Übertreibung der europäischen Zustände ist. Hochhuths Vorstellung eines radikalen Umbruchs läßt sich schwerlich auf einen ideologischen Nenner bringen. So grenzt er sich nach links ab durch sein Diktum „Die Marxisten haben Marx nur verschieden interpretiert: / es kommt darauf an, ihn zu verändern."[293] Hochhuth wettert gegen jede Form von Vereinheitlichung, weil sie den komplex verzweigten Menschen nicht gerecht wird. Der Unterschied zwischen Demokraten und Republikanern entspricht dem zwischen linkem und rechtem Stiefel, ja die USA sind der einzige Staat der Welt, in dem sich keine Arbeiterpartei formieren konnte. Gegen solchen einseitigen, und also verlogenen Pluralismus gehen die ‚Guerillas' vor mit einer Revolution von oben.

Das Dilemma eines solchen Revolutionskonzepts ist schnell auf den Punkt gebracht: Die Massen werden von Besitz und Wohlfahrt ferngehalten, und ausgerechnet eine Elite soll dem, noch dazu mit Gewalt, Abhilfe schaffen. Wenn Hochhuth dazu auffordert, die Waffe gegen ihren Urheber zu richten, so fühlt man sich wohl eher an den zum Terroristen degenerierten Robespierre erinnert, als an Robin Hood. Zweihundert Millionen Amerikaner von der Oligarchie der zweihundert Millionäre, den eigentlichen Regenten des Landes, zu befreien, steckt sich eine Handvoll reicher und mächtiger Amerikaner zum Ziel, allen voran der CIA-Agent Senator Nicolson. Die Idee einer Revolution durch Infiltration entnimmt Hochhuth Edward Luttwaks Buch ‚Der Coup d'État oder Wie man einen Staatsstreich

[291] Rolf Hochhuth: Guerillas (1991), a. a. O., S. 756.

[292] „Revolution ist auch heute nicht an der Zeit, Widerstand aber durchaus!" (Rolf Hochhuth: Georg Büchner. Eine Verpflichtung, in: ders.: Und Brecht sah das Tragische nicht. Plädoyers, Polemiken, Profile, Darmstadt 1996, S. 24.)

[293] Rolf Hochhuth: Guerillas (1991), a. a. O., S. 901.

inszeniert'. Was hier auf den ersten Blick recht amüsant klingt, entpuppt sich als eine konkrete Anleitung zum staatlichen Umsturz, welche die notwendigen Schritte zum Erfolg eines solchen Vorhabens bis ins – im wahrsten Sinne des Wortes – blutige Detail durchexerziert.

Ein hilfreiches Buch für Neonazis wie Altkommunisten, zumal der aus Rumänien stammende Politikwissenschafter Luttwak dezidiert keine moralischen Erwägungen ins Spiel bringen will. Es geht ihm um die Perfektion des Umsturzes, wer dann an der Macht sitzt, interessiert ihn nicht. Im Kapitel ‚Die Durchführung des Staatsstreichs' erweist sich die Lektüre als äußerst fragwürdig: Nachdem Leute der subversiven Unternehmung in politische Schlüsselpositionen vorgerückt und die entsprechenden Vorbereitungen getroffen sind, wird der Staatsstreich unter dem „Prinzip des totalen Einsatzes"[294] durchgezogen. Regierungstreue Kräfte werden „durch direkte Maßnahmen isoliert"[295]: Auch beschwichtigende Euphemismen können nicht darüber hinwegtäuschen, daß hier über Leichen gegangen wird. Der Einfachheit halber, so Luttwak, sollen die staatstragenden Autoritäten aus dem Weg geräumt werden, „denn es ist oft einfacher, sie zu beseitigen, als sie gefangenzuhalten"[296]. Danach wird eine totale Ausgangssperre verhängt, der öffentliche Verkehr eingestellt, das gesamte Mediennetz gekappt. – Was ist dieses Luttwaksche Staatsstreich-Modell – aus der Sicht der betroffenen Bevölkerung – anderes als ein Gefängniswärteraustausch? Die schlimmste Diktatur kann nicht schlimmer sein als diese vermeintliche Befreiung von ihr. Und was das schlimmste ist: Diese Aspekte werden uns von Hochhuth schlicht vorenthalten.

Weil Luttwak den Staatsstreich für eine wertfreie Methode erklärt, glaubt Hochhuth, einen Ansatz gefunden zu haben, der über den Parteien steht. „Dieses Handbuch", schwärmt Hochhuth, „nimmt sich neben den Schriften etwa Cohn-Bendits aus wie höchst konzentriertes Zyankali neben ver-

---

[294] Edward Luttwak: Der Coup d'État oder Wie man einen Staatsstreich inszeniert, Reinbek bei Hamburg 1969, S. 183.

[295] Edward Luttwak: Coup d'État (1969), a. a. O., S. 189.

[296] Edward Luttwak: Coup d'État (1969), a. a. O., S. 202.

zuckerter Brauselimonade“[297]. Daß Hochhuth ausgerechnet ‚Zyankali‘ den Unterdrückten zur Beseitigung ihrer Machthaber preist, steht seiner eigenen Forderung entgegen, sich von jenen zu trennen, die Gewalt fordern. „Macht Revolution!“[298] ruft der Basler Millionär den gesellschaftlichen Underdogs zu und dichtet gegen die Hautevolee, zu der er selbst gehört:

> Die ‚Herren‘ ewig oben,
> Alleineigner am Kapital!
> Underdogs ewig unten: Am Bau verschlissen
> in Stahlküchen, Gruben,
> ausgepreßt, weggeschmissen
> wie Zahnpasta-Tuben.[299]

Als in ‚Judith‘ der Jesuit Edward seinen Ausstieg aus der Verschwörung gegen den amerikanischen Präsidenten bekanntgibt – „Wenigstens mal ein Mord, an dem meine Kirche / unschuldig sein soll“[300] –, kommt es mit den anderen beiden Konspiranten zu einer heftigen Auseinandersetzung über die Schuldfrage. Ist es legitim, den Präsidenten zu ermorden, weil er wieder chemische und bakteriologische Waffen produzieren läßt und diese möglicherweise in einem Krieg einsetzt? Als Edward argumentiert, daß keine Notwehrsituation vorliege und das Unternehmen daher nicht ‚menschlich‘ sei, entgegnet ihm Arthur, ein an den Rollstuhl gefesseltes Vietnam-Opfer: „Menschlich / heißt nur, wir gehören / zur einzigen Gattung, die ihresgleichen tötet! […] Menschlich ist, daß wir viermal so viele Bomben, / wie während des ganzen Hitler-Krieges / auf den Erdball fielen, / auf Vietnam warfen […] Menschlich ist: daß wir nicht nur 58 000 GIs verheizten, / tot: 58 000! Sondern drei Millionen Vietnamesen […] Menschlich ist, daß du –

[297] Rolf Hochhuth: Zu ‚Guerillas‘: Keine Revolution ohne Infiltration, in: ders.: Krieg (1971), a. a. O., S. 223.
[298] Rolf Hochhuth: Macht Revolution!, in: ders.: Wellen. Artgenossen (1996), a. a. O., S. 64.
[299] Rolf Hochhuth: Auferstehung (1996), a. a. O., S. 215.
[300] Rolf Hochhuth: Judith (1991), a. a. O., S. 2284.

eine Seele von Freund / und *Mensch* – uns im Stich läßt"[301]. Wenn das Ziel Friede sein soll, so Edward, kann es nicht auf einem Mord gründen, dies wäre vor keinem Menschen und keinem Gott zu rechtfertigen, also Schuld. „Der Geist", hält ihm Arthur daraufhin entgegen, „ist nur dort kein Geschwätz, wo er Tat ist. / Der Geist ist nur, was er tut … und es ist die Ehre / des Gewissenhaften, schuldig zu werden"[302].

Ist der vorbeugende Mord, ‚um noch größeres Blutvergießen zu verhindern' – so hatte es einst Georg Elser ausgedrückt –, ja ist überhaupt ein Mord rechtfertigbar, ist es aber nicht auch schuldhaftes Verhalten, wenn man untätig sich der Verantwortung entzieht? Ist es nicht, wie Judith formuliert, „pervers […] gegen Gott, / Natur und Menschlichkeit, / wenn friedlich in seinem Bett stirbt, / wer den Giftgastod für Millionen / selbstverständlich einkalkuliert"[303]?

3.6 Ernst Jüngers ‚Der Waldgang': Dynamit in Buchform?

Als zweiter Gewährsmann tritt neben Luttwak – nicht nur für die ‚Guerillas'-Thesen – Ernst Jünger in Erscheinung. Den im Alter von 102 Jahren verstorbenen Wilflinger verbindet mit Hochhuth eine außerordentliche Geistesgemeinschaft und -freundschaft wie sonst mit keinem anderen zeitgenössischen Schriftsteller. Von Johann Kresnik als ‚größter Kriegsverherrlicher dieses Jahrhunderts' gescholten, von André Gide, Hermann Hesse, Alfred Andersch verehrt, reicht die Bandbreite der Kritik Ernst Jüngers von *Hosianna!* bis zu *Kreuziget ihn!* Der im Forsthaus der Reichsfreiherren von Stauffenberg wohnende Mann – für die Wahl dieser Residenz war wohl weniger Antinazismus als Jüngers aristokratisches Selbstverständnis verantwortlich – legt leidenschaftlich Patience, sammelt und kennt alle möglichen

[301] Rolf Hochhuth: Judith (1991), a. a. O., S. 2286.
[302] Rolf Hochhuth: Judith (1991), a. a. O., S. 2289. Hegels Satz, daß es die Ehre der großen Charaktere sei, schuldig zu sein, ist vielleicht der einzige, den Hochhuth an dem Philosophen gelten läßt.
[303] Rolf Hochhuth: Judith (1991), a. a. O., S. 2326.

Käfer und Sanduhren, er liest bis zuletzt ohne Brille. „„Ein Tag im Garten", zitiert und kommentiert ihn Hochhuth, „ist wertvoller als Jahre, verbracht in Städten, Bibliotheken oder selbst inmitten von Kunstwerken', so kann man als sein dankbarer Leser nur sagen: Gott sei Dank lebt Jünger *nicht* nach dieser Maxime!"[304]

Hochhuth läßt kaum eine Gelegenheit aus, weder in seinen Schriften, noch in seinen Vorträgen, um auf Jünger und insbesondere auf dessen knapp hundertseitige Widerstands-Fibel ,Der Waldgang' aufmerksam zu machen. In der Tat könnte man ohne Zitatnachweis nicht sagen, ob man nun Jünger oder Luttwak oder Hochhuth liest: „Der Waldgänger besorgt die Ausspähung, die Sabotage, die Verbreitung von Nachrichten in der Bevölkerung. Er schlägt sich ins Unwegsame, ins Anonyme, um wieder zu erscheinen, wenn der Feind Zeichen von Schwäche zeigt. Er verbreitet eine ständige Unruhe, erregt nächtliche Paniken."[305] ,Der Waldgang' schildert keinen idyllischen, sondern einen gefährlichen Ausflug, die Selbstbehauptung des einzelnen. Gegen die Gleichschaltung durch die anonymen Mächte sieht Jünger im ,Arbeiter', im ,Unbekannten Soldaten' und im ,Waldgänger' eine moralisch-heroische Minderheit gewahrt, welche eine neue Freiheitskonzeption durch das Wagnis des Widerstands zu verwirklichen vermag. Jünger spricht keiner Elite das Wort, die Zahl derer, die sich als frei agierende einzelne entdecken und begreifen, ist naturgemäß klein. Wilhelm Tell, Georg Elser, Mahatma Gandhi sind solche zu Ehren gekommene einzelne, deren abweichendes Verhalten gegen die vom System verordnete Lethargie verstößt. Der einzelne beginnt dort, wo einer nein sagt zur Herrschaft des Schlechten, wo einer „Mut zur unmittelbaren Verantwortung"[306] beweist.

In ,Wessis in Weimar' wird das Büchlein gar zur Abrechnung mit den Treuhand-Hehlern empfohlen, als Ruth und Professor Roessing das zum Jagdschloß von ,Bonner Bonzen' verkommene Gutshaus anzünden: „Roessing: Das Feuer war deine Idee. / Ruth […]: Nicht auch deine? / Soll ich dir das

[304] Rolf Hochhuth: Besuch bei Jünger, in: ders.: Täter (1990), a. a. O., S. 367.
[305] Ernst Jünger: Der Waldgang, Stuttgart 1995, S. 75.
[306] Ernst Jünger: Waldgang (1995), a. a. O., S. 70.

glauben? Warum hättest du mir / sonst den ‚Waldgang' geschenkt? / Mein Vademecum seither. Ich trage es stets bei mir."[307] Ernst Jünger beklagt in der Tat die Arroganz der Westdeutschen, wenn auch in gelassenerem Tonfall als Hochhuth und auch nicht, ohne ein gutes Wort vorauszuschicken: „Die Wiedervereinigung Deutschlands ist ein großer Fortschritt zum vereinten Europa [...]. Enttäuschungen konnten nicht ausbleiben; doch wenn ein Bruder vor der Tür steht und anklopft, empfängt man ihn mit offenen Armen, ohne zu fragen, was es kostet, und rechnet nicht kleinlich mit ihm ab."[308] Sebastian Haffner erinnert die Art, wie Bundeskanzler Kohl mit Modrow umgeht, gar an Hitlers Verhalten gegenüber Schuschnigg im Jahre 38. Die entsprechende Passage aus einem Interview der ‚Frankfurter Allgemeinen Zeitung' stellt Hochhuth an den Anfang des Stücks.

Mehr als hundert Jahre früher schon verfaßt ein Amerikaner, Henry David Thoreau, ein Buch ‚Über die Pflicht zum Ungehorsam gegen den Staate', das von Gandhi, von französischen Résistance-Mitgliedern, von Oppositionellen in der ganzen Welt gelesen wird, jedoch bei Jünger gar keine, bei Hochhuth so gut wie gar keine Erwähnung findet. Damit die Ansammlung von Superlativen – Jünger sei der älteste und gefährlichste Dichter auf dem Globus – auch zutrifft, werden Thoreaus Bücher von Hochhuth kurzerhand als ‚Aussteiger-Schriften' verunglimpft, ja Jünger sei im Vergleich zu dem Amerikaner gar ein „Schierlingsbecher neben Brauselimonade"[309]. Hätte Hochhuth diese Brauselimonade je versucht, sie wäre ihm bitter aufgestoßen, denn bei Thoreau findet man ein Programm, das den Hundertjährigen schlicht hundert Jahre zu spät kommen läßt: „Mach dein Leben zu einem Gegengewicht, um die Maschine aufzuhalten. [...] Nie wird es einen wirklich freien und aufgeklärten Staat geben, solange sich der Staat

[307] Rolf Hochhuth: Wessis in Weimar. Szenen aus einem besetzten Land, München 1995, S. 246.

[308] Rolf Hochhuth: Zum 12. September: Beim großen Pan: Mit Jünger in Lascaux, in: ders.: Syrakus (1995), a. a. O., S. 102.

[309] Rolf Hochhuth: Ernst Jünger. „... Ich möchte mit einem Buch in der Hand sterben", in: ders.: Und Brecht (1996), a. a. O., S. 100.

nicht bequemt, das Individuum als größere und unabhängige Macht anzuerkennen, von welcher all seine Macht und Gewalt sich ableiten, und solange er den Einzelmenschen nicht entsprechend behandelt."[310]

Das nämlich ist der Unterschied zwischen Jünger und Thoreau: daß ,Der Waldgang' einen ästhetischen Ausflug ins Grüne nur beschreibt, während ,Walden' die konkreten Erfahrungen des Lebens im Wald dokumentiert. Ob man nur mit der Möglichkeit spielt, seine Bibliothek, sein Heim hinter sich zu lassen, oder ob man es auch wirklich tut: Das ist der Unterschied. Und nur derjenige, der auf solch konsequente Weise wie Thoreau Distanz gewonnen hat, kann so glaubwürdig und radikal sich selbst und die herrschende Moral hinterfragen: „Den größten Teil von dem, was meine Mitbürger gut nennen, halte ich innerlich für schlecht, und wenn ich etwas bereue, so ist es höchstwahrscheinlich mein gutes Betragen. Von welchem Dämon war ich besessen, daß ich mich so gut benahm?"[311]

Von dem Wilflinger Insektenforscher hingegen geht so viel subversive Gefahr für den Staat aus wie von einem Philatelistenverein. Ein Buch, in dem antidemokratisch beklagt wird, „daß Fürsten fehlen"[312] und mit ihnen die Begabung für „Friedensschlüsse, Urteile, Feste, Spendungen und Mehrungen"[313], ein Buch, das noch dazu als Beitrag für eine Heidegger-Festschrift geschrieben ist, verdient nicht Hochhuths Auszeichnung als „Magna Charta des Zivilen Ungehorsams"[314].

Wenn Jünger, der Verteidiger des Individuums, ,Überbevölkerung' als eine der großen Gefahren unserer Zeit sieht, dann soll er auch jene einzeln beim Namen nennen, die er für zu viel hält. Auch Hochhuths Ausführungen zu diesem Thema sind bedenklich: „[...] die umfassendste Gefahr, die der Menschheit seit ihrem Entstehen droht: Überbevölkerung. [...] Da ist das

[310] Henry David Thoreau: Über die Pflicht zum Ungehorsam gegen den Staat und andere Essays, Zürich 1973, S. 18 u. 34 f.

[311] Henry David Thoreau: Walden oder Leben in den Wäldern, Zürich 1979, S. 23.

[312] Ernst Jünger: Waldgang (1995), a. a. O., S. 79.

[313] Ernst Jünger: Waldgang (1995), a. a. O., S. 79

[314] Rolf Hochhuth: Jünger (1996), a. a. O., S. 96.

diabolische Paradoxon, daß die Medizin, weil sie dem einzelnen hilft, die Menschen insgesamt in steigendem Maß gefährdet“[315]. Es ist zu fragen, wie das mit Hochhuths eindrücklicher *Lebens*maxime – „Wer lebt, lebt zu Recht.“[316] – vereinbar ist.

3.7 Schreiben aus Mitleid mit den Schwachen

Die Hochhuthsche Ethik: Das ist ein Katalog all dessen, was in den Augen des Schriftstellers nicht sein darf. Hochhuth beruft sich des öfteren auf Johann Peter Hebels Maxime: ‚Merke: es gibt Untaten, über welche kein Gras wächst!‘ Das Humanum und dessen Verteidigung stehen im Mittelpunkt seines Schaffens, sein weitgehend unabhängiger Geist garantiert dafür, daß das Engagement für die Unterlegenen im Dschungel der Gesellschaft über alle parteilichen, kirchlichen, staatlichen und sonstigen Konventions-Grenzen hinweg erfolgt. Hochhuth ist es unbegreiflich, „wie man es unterstützen kann, daß eine Partei, eine Religion, eine Rasse alle anderen beherrscht. Ein absoluter Sieg, sei es der CSU oder der KP, des Christentums oder des Islams, ist doch ohne Frage das furchtbarste Unglück, das eine Nation überhaupt heimsuchen kann [...]; denn diese Welt benötigt keinen, der ihr voranmarschiert.“[317] Hochhuths moralische Appelle beginnen nie mit *Du sollst*, sondern stets mit *Seht, was ich tue*; sie haben nicht Forderungs-, sondern Vorbildcharakter. Lieben *sollen* ist in seinen Augen so widersprüchlich wie hassen müssen.

Es ist so verwunderlich wie erhellend, daß Hochhuths Weltanschauung sich auf das metaphysische System der Schopenhauerschen Ethik beruft. Dies geschieht gegen den ausdrücklichen Rat von Karl Jaspers – mit dem er sich in Basel anfreundet –, Hochhuth solle sich nicht an diese Philo-

[315] Rolf Hochhuth: Vorstudien (1971), a. a. O., S. 370.
[316] Rolf Hochhuth: Unbefleckte Empfängnis. Ein Kreidekreis, in: ders.: Dramen 2 (1991), a. a. O., S. 2483.
[317] Rolf Hochhuth: Brief an einen Kommunisten in der CSSR, in: ders.: Krieg (1971), a. a. O., S. 93 u. 102.

sophie der Hoffnungslosigkeit verlieren. Schopenhauer sei vielleicht eine amüsante Lektüre, „aber wodurch wirkte er denn? Durch politische Verantwortungslosigkeit, durch seine Verachtung des Menschen, des Lebens, der Geschichte, des Staates, von dem er aber seine lebenslängliche Rente gegen Revolutionäre geschützt haben wollte – sein Bild der Welt verpflichtet zu gar nichts, jedes Tier stand ihm näher als jeder Mensch."[318]

Hochhuth jedoch bleibt gefangen in dem allgemeinen Pessimismus der Schopenhauerschen Lehre, denn auch er glaubt an die Sinn- und Ziellosigkeit der Weltgeschichte, zumal diese nur die Objektivation eines blinden, wenn auch freien Willens darstellt. Gegen Nietzsche beschreibt er apotheotisch seinen Favoriten:

> Schopenhauer
>
> Was er lehrte, sei abgetan,
> hat Nietzsche gedichtet.
> Wir, die Nietzsches Schüler sahn,
> die Europa fast vernichtet,
> wissen, es kam umgekehrt:
> Mitleid, das der Danziger lehrte,
> blieb da doch als einziger Wert
> – nicht: die ‚Umwertung der Werte'[319]

Auch Georg Büchner steht bei Hochhuths Revolutionskonzept Pate, insbesondere dessen Schrift ‚Der Hessische Landbote' und das Drama ‚Dantons Tod', wo die Revolution als unbedingt notwendig, aber gleichzeitig auch als absolut sinnlos eingeschätzt wird. Für Büchner wie für Hochhuth sind Mitleid und Barmherzigkeit mit dem tyrannisierten Menschen der entscheidende Impuls für eine radikale Veränderung gesellschaftlicher Herrschaftsverhältnisse. Aber jede Hoffnung darauf wäre verschwendet, weil

---

[318] Rolf Hochhuth: Lebensfreundlichkeit, in: ders.: Täter (1990), a. a. O., S. 223.
[319] Rolf Hochhuth: O Deutschland (1986), a. a. O., S. 178.

zwar „die Menschheit die Mittel zu ihrer Rettung besitzt, auch die Intelligenz zu deren Anwendung – nicht aber die Vernunft und nicht die Moral, es zu tun.“[320]

Hochhuth wird einmal von Günter Gaus gefragt: „Haben Sie Erbarmen mit den Schwachen?“, und er antwortet: „Ich würde sagen, das ist einer der Beweggründe, weshalb ich schreibe.“[321] Mitleiden, nicht nur Mitleid mit der geschundenen Kreatur, selber etwas bewegen, nicht nur aufrufen, daß andere etwas tun sollen: das ist das Hochhuthsche Ethos.

1971 überreicht der Schriftsteller dem damaligen Bundeskanzler Willy Brandt bei einer persönlichen Begegnung eine Petition betreffend die Obdachlosen in der BRD. Hochhuth skizziert darin seine Vorstellung, wie „achthundert tausend Parias zu Mitbürgern hinaufklassifiziert werden könnten.“[322] Er schlägt vor, anstatt an den Obdachlosen-Baracken Kosmetik zu betreiben, sollten diese niedergerissen und die Bewohner solcher Ghettos in die Städte und Dörfer integriert werden. Es sei „eine Demütigung für das ganze Menschengeschlecht, daß die Kinder, die in diesen Löchern ihre wertvollsten Jahre verdämmern, nicht wenigstens mehr den Willen aufbringen, wenn sie zwanzig Jahre alt sind, jene Kommunalpolitiker zu ermorden, die sie dorthin verbannt haben.“[323] Tatsächlich dankt ihm der Kanzler für die ‚wertvollen Anregungen‘ und leitet diese an die zuständigen Minister weiter. Folglich wird gegen Rolf Hochhuth Strafanzeige erstattet wegen Verleumdung, übler Nachrede, Beleidigung und Aufforderung zur Mordhetze. Sein Erfolg aber ist, daß schon kurze Zeit später unter anderem die Kieler Barackensiedlungen verschwinden.

Im Oktober desselben Jahres erscheint Hochhuths erste Komödie ‚Die Hebamme‘, die jedoch vom Rezipienten schon wegen der todernsten Thematik – der Aufstand einer Obdachlosen-Siedlung – und wegen des ange-

[320] Rolf Hochhuth: Vorstudien (1971), a. a. O., S. 382.
[321] Gaus im Gespräch (1993), a. a. O., S. 52.
[322] Rolf Hochhuth: Zu ‚Hebamme‘: Achthunderttausend Obdachlose in der Bundesrepublik, in: ders.: Krieg (1971), a. a. O., S. 247.
[323] Rolf Hochhuth: Achthunderttausend Obdachlose (1971), a. a. O., S. 248.

strengt wirkenden Humors des Autors[324] nur bedingt als *Komödie* erfahrbar ist. Hellmuth Karasek, den mit Hochhuth eine lebenslange Abneigung verbindet, gesteht dem Stück nur „die Tiefe einer Bierpfütze auf einem Stammtisch“[325] zu und sieht es „von einem Geist getragen, der, unfreiwillig, arg in die Nähe des Faschismus gerät.“[326] – Einer, der im nachhitlerschen Deutschland dem einzelnen noch verändernde Kraft zutraut, gerät trotz seines jahrelangen antifaschistischen Engagements unbesehen in Verdacht, nach dem starken Mann zu rufen. Der starke Mann ist in diesem Falle Schwester Sophie, die Hebamme, die unter Verletzung herrschender Gesetze einer Gruppe von Obdachlosen zu ihrem Recht – einer Wohnung – verhilft. Karasek ergeht sich in maßloser Kritik am Gewand des Stücks, mit keinem Wort aber geht er auf den Inhalt, die Obdachlosenproblematik, ein.

Hält man sich an das Gesetz, verstößt man gegen die Moral, und hält man sich an die Moral, verstößt man gegen das Gesetz. Es ist sicherlich nicht legal, Obdachlose darin zu unterstützen, ihre Baracken niederzubrennen und leerstehende Wohnungen zu besetzen, aber es ist legitim, ja es ist moralisch geboten. In einem Disput mit dem Staatsanwalt Maise rechtfertigt Sophie ihr Vorgehen damit, „daß sehr oft Gesetze brechen muß, wer in diesem Lande / dem Rechte zu seinem – Recht verhelfen will. / Daß unser Herr Jesus gekreuzigt wurde: / war ‚gesetzlich in Ordnung‘ – und deshalb hätten Sie, / Herr Staatsanwalt, zweifellos dabei mitgewirkt. / Daß es aber Recht war: werden selbst Sie nicht behaupten. / Maise: Herr Vorsitzender, / ich beantrage eine Ordnungsstrafe / wegen der unerhörten Beleidigung, / daß ich geholfen haben würde“[327].

---

[324] Übertrieben aber amüsant ist Karaseks Formulierung: „Hochhuth hat zum Humor ein ähnlich inniges Verhältnis wie ein Seehund zur Sahara.“ (Hellmuth Karasek: In Hochhuths Kreißsaal, in: Reinhart Hoffmeister (Hg.): Hochhuth (1980), a. a. O., S. 193.)

[325] Hellmuth Karasek: Kreißsaal (1980), a. a. O., S. 194.

[326] Hellmuth Karasek: Kreißsaal (1980), a. a. O., S. 194.

[327] Rolf Hochhuth: Die Hebamme (1991), a. a. O., S. 1258.

3.8 ‚Ihr seid ein Mensch, und das erklärt schon alles!' – Zur Causa Filbinger

„Geschichte holt jeden ein"[328], läßt Hochhuth sein Gedicht ‚Ein Rad dreht sich' enden und beschreibt damit ungewollt das Schicksal von Hans Karl Filbinger, Ministerpräsident von Baden-Württemberg von 1966 bis zu seinem Rücktritt am 21. August 1978. Daß einen Vergangenes einholt, ist aber kein geschichtlicher Automatismus, sondern Resultat entweder einer persönlichen Aufarbeitung oder – wie in diesem Falle – eines zwar selbst verschuldeten, aber dennoch ungewollten Aufklärungsprozesses. Heinrich Böll faßt die Angelegenheit in wenigen Sätzen zusammen: „Filbinger, der die fünf sechs Zeilen, in denen er als ‚furchtbarer Jurist' bezeichnet wurde, nicht auf sich sitzen lassen wollte, der unbedingt seinen Prozeß wollte, ihn bekam, Recherchen geradezu erzwang, die eine fürchterliche Offenbarung nach der anderen erbrachten, eine peinliche Erklärung nach der anderen, bis dann schließlich tatsächlich einmal ein deutsches Wunder geschah: er mußte gehen."[329] Dieses ‚deutsche Wunder' stellt in der Tat eine absolute Singularität dar, denn nicht ein, *nicht ein einziger* Richter wird in der BRD für seine verbrecherischen Urteile unter dem Naziregime je selbst verurteilt, was einer nachträglichen Billigung der damaligen Gesetze gleichkommt, nach dem Motto ‚Was damals Rechtens, kann heute nicht Unrecht sein'. Nein, sie dürfen weitermachen, sie bekommen Pension, ganz im Gegensatz zu ihren Opfern und deren Hinterbliebenen. Wie es Wunder eben an sich haben, weisen sie auf die horrende Vielzahl jener Fälle hin, wo sie nicht geschehen sind.

In der Hamburger ‚Zeit' erscheint am 17. Februar 1978 ein Vorabdruck des Romans ‚Eine Liebe in Deutschland', welcher die – für Hochhuthsche Verhältnisse – harmlose Bemerkung enthält, daß der zu diesem Zeitpunkt amtierende Ministerpräsident Filbinger als Marinestabsrichter noch nach dem Ende des Dritten Reichs „einen deutschen Matrosen mit Nazi-Gesetzen

[328] Rolf Hochhuth: Rom (1991), a. a. O., S. 332.
[329] Heinrich Böll: Hochhuth in der Geschichte (1981), a. a. O., S. 19.

verfolgt hat"[330], und deshalb ist dieser „ein so furchtbarer ‚Jurist' gewesen, daß man vermuten muß […], er ist auf freiem Fuß nur dank des Schweigens derer, die ihn kannten."[331] Hochhuth wird von Filbingers Anwälten vor die Wahl gestellt, entweder nie wieder öffentlich diese Bemerkung zu wiederholen, oder andernfalls ein Ordnungsgeld von bis zu 500.000 Deutschen Mark – respektive zwei Jahre Haft – entrichten zu müssen.

Es kommt zur Verhandlung vor einem Stuttgarter Gericht, der ‚Zeit'-Verlag – erfahren in solchen Belangen – stellt die Anwälte. Hochhuth ruft seinen Kollegen, den britischen Historiker David Irving, zu Hilfe, und tatsächlich finden sich in diversen Archiven Dokumente, die Hochhuths These vom ‚furchtbaren Juristen' belegen. Als Marinestabsrichter leitet Filbinger ein wiederaufgenommenes Verfahren gegen den einundzwanzigjährigen Matrosen Walter Gröger, der sich wegen Traktierung durch Vorgesetzte von der Truppe entfernt hat. Er verurteilt den Jungen zum Tode und verfügt die unmittelbare Vollstreckung – anständige Richter verzögern Hinrichtungen aufgrund der sich abzeichnenden Niederlage (März 1945!) oder verwandeln sie in Bewährungen –, er bestimmt sich selbst zum leitenden Offizier des Vollstreckungskommandos, er ruft persönlich ‚Feuer!' und tut sich schwer, sich daran zu erinnern. Egon Bahr fragt deshalb, „wie viele Todesurteile ein Mensch fällen muß, damit er sich an eins nicht mehr erinnert."[332] Dann allerdings, als es ihm vorteilhafter scheint, behauptet Filbinger, der furchtbare Fall belaste ihn schon zeitlebens.

Dreiunddreißig Jahre nach der Hinrichtung erst erfährt die alte Mutter, Anna Gröger, wohnhaft in Langenhagen bei Hannover, aus Hochhuths Mund vom Schicksal ihres Sohnes. Filbinger hat die Benachrichtigung der Eltern damals schlicht – vergessen. Sie bricht zusammen: „Wir haben niemals so etwas Schlimmes befürchtet"[333]. Sie erzählt, daß Walter, weil er an

[330] Rosemarie von dem Knesebeck (Hg.): Filbinger (1980), a. a. O., S. 18.
[331] Rosemarie von dem Knesebeck (Hg.): Filbinger (1980), a. a. O., S. 18.
[332] Zitiert nach: Reinhart Hoffmeister (Hg.): Hochhuth (1980), a. a. O., S. 246.
[333] Rosemarie von dem Knesebeck (Hg.): Filbinger (1980), a. a. O., S. 60.

jenem Schicksalstag von Bord der ,Scharnhorst' ging, wie durch ein Wunder nicht wie fast 1600 Besatzungskollegen im Eismeer ertrank. – Gegen Filbinger half kein Wunder.

Daß Filbinger kein Held gewesen ist, kann ihm keiner zum Vorwurf machen. Aber daß er sich als Reinhold-Schneider-Sonette lesenden Widerständler darstellt, wirkt äußerst peinlich, nachdem der Aufsatz ,Nationalsozialistisches Strafrecht' des damals Zweiundzwanzigjährigen zum Vorschein kommt, in dem sich Sätze finden wie „Diese Blutsgemeinschaft muß rein erhalten und die rassisch wertvollen Bestandteile des deutschen Volkes planvoll vorwärtsentwickelt werden. [...] Schädlinge am Volksganzen jedoch, deren offenkundiger verbrecherischer Hang immer wieder strafbare Handlungen hervorrufen wird, werden unschädlich gemacht werden."[334]

Die CDU unter Führung von Helmut Kohl und Heiner Geißler beschließt, eine Ehrenerklärung für Filbinger abzugeben. Die Archiv-Recherchen bezeichnet Kohl wörtlich als „historische Mistkäferei"[335]. Norbert Blüm behauptet in dem Zusammenhang, daß es für sein Empfinden nur einen graduellen Unterschied ausmache, ob einer als Soldat im Konzentrationslager oder an der Front seinen Dienst tat.

Um zu beweisen, daß individuelle Schuld im Gesamtverhängnis des Krieges nicht möglich sei, beruft sich Filbinger in einer Sendung des Saarländischen Rundfunks auf den evangelischen Theologen Heinz Zahrnt, „der sinngemäß formuliert hat: das ganze menschliche Leben sei ein Ring von Schicksal und Verhängnis, wobei am Verhängnis immer auch Schuld beteiligt sei. [...] Man kann es auch formulieren mit Dostojewski, ich erinnere mich, in meiner Jugend habe ich das mit brennenden Augen gelesen: ,Wir alle sind an allem für alles schuldig.'"[336] In einer öffentlichen Stellungnahme verwahrt sich Zahrnt dagegen, als Gewährsmann für solch ungeheuerliche Rechtfertigungsakte mißbraucht zu werden. Er sieht im Ministerprä-

[334] Rosemarie von dem Knesebeck (Hg.): Filbinger (1980), a. a. O., S. 102.
[335] Rosemarie von dem Knesebeck (Hg.): Filbinger (1980), a. a. O., S. 110.
[336] Rosemarie von dem Knesebeck (Hg.): Filbinger (1980), a. a. O., S. 77.

sidenten „das alte deutschnationale Syndrom"[337] am Werk, „aus obrigkeitlichem Denken, Eintreten für Zucht und Ordnung, nationalem Ehrgeiz und politischer Kompromißlosigkeit, kurzum jener Mangel an vernünftiger Inkonsequenz"[338]. Wer als Christ, so Zahrnt, den Hitler-Staat und den damit einhergehenden Krieg überlebt hat, der hat, weil er sein eigenes Leben mehr geliebt hat als das des Nächsten, „ganz gewiß den Vater Jesu von Nazareth im Namen Adolf Hitlers mehr als einmal verleugnet."[339]

So kommt es, wie es kommen muß: Es tauchen neue Papiere auf, die Filbingers Mitwirkung an weiteren Todesurteilen belegen. Er tritt als Ministerpräsident von Baden-Württemberg zurück, sich als Opfer einer linken Hetzkampagne fühlend, behält jedoch den CDU-Landesvorsitz. Hochhuth bleibt es per Richterspruch unbenommen, auch weiterhin von einem ‚fürchterlichen Juristen' zu sprechen, zumal sich dieses Diktum im nachhinein ja schon fast als eine Untertreibung herausstellt. Der Sozialdemokrat Erhard Eppler sieht angesichts von so viel Uneinsichtigkeit ein ‚pathologisch gutes Gewissen' am Werk, das exemplarisch zeigt, wie wenig man in Deutschland von einer gelungenen Vergangenheitsbewältigung sprechen kann. Jedenfalls hat Hochhuth Deutschland auf diese Weise vor einem *Bundespräsidenten* Filbinger – denn für dieses Amt war er schon im Gespräch – bewahrt. Fünfzehn Jahre später kommentiert Hochhuth im Gespräch mit Günter Gaus Filbingers Klage keineswegs triumphalistisch: „Er hat die Kirche nicht im Dorf gelassen, er war verrückt geworden. Sonst hätte ich durchaus mit mir reden lassen. Es lag nicht in meiner Absicht, ihn zum Rücktritt zu zwingen. Das hat er schon selber gemacht. *Genieren Sie sich fast dafür?* Das nicht, aber ich muß sagen, ich habe sehr ungerne gekämpft."[340]

[337] Rosemarie von dem Knesebeck (Hg.): Filbinger (1980), a. a. O., S. 80.
[338] Rosemarie von dem Knesebeck (Hg.): Filbinger (1980), a. a. O., S. 80.
[339] Rosemarie von dem Knesebeck (Hg.): Filbinger (1980), a. a. O., S. 81.
[340] Gaus im Gespräch (1993), a. a. O., S. 46.

Filbinger gehört zu jenen abgefeimten Menschen „mit reinem, weil nie benutztem Gewissen“[341], die durch ihren moralischen Opportunismus zu allen Zeiten und an allen Orten dieser Welt die Installation und Aufrechterhaltung von menschenverachtenden Herrschaftssystemen möglich machen. Hochhuth fühlt sich berufen – fast als einziger –, das schlechte Gewissen seiner Nation zum Ausdruck zu bringen, weil die politischen Repräsentanten ein so gutes haben. Für ihn kann kein Mensch ein gutes Gewissen haben, ein schlechtes Gedächtnis höchstens.

3.9 ‚Nur Waffen ändern sich, die Menschen nicht‘

Weil Politik, der Protest gegen Gewalt, den Ursprung des Dramas darstellt, bedeutete politische Enthaltsamkeit und schweigender Indifferentismus nicht nur den Tod der Kunst, sondern auch ein moralisches Versagen. Auch wenn der einzelne sich immer schon vorfindet in schuldhaften Verstrickungen, in einem Weltsystem, das ihm Körper, Sprache und – fast – sein ganzes Denken vorgibt, obliegt es ihm dennoch, gegen alle Bequemlichkeit und Aussichtslosigkeit dem einzigen unfehlbaren Richter, dem einzigen zeitlosen Gesetz Folge zu leisten: der Stimme seines Gewissens. Die moralische Manipulationsmacht von Kreon, Hitler, Honecker hat ihre Grenze an der gewissenhaften Identität eines Menschen, denn wer ‚Ich‘ sagt, vermag jedes System zu sprengen. Das Gewissen nimmt einen heraus aus jeder Pluralität, es bewirkt, wo es nicht verdrängt wird, die moralisch notwendige Vereinzelung. Menschen existieren immer nur in der Einzahl, aus ethischer Perspektive reicht es aus, wenn man bis Eins zählen kann: Dieser Grundsatz gilt für das Selbstverhältnis wie für das Verhältnis zu anderen, denn auch „als einzelner gesehen werden, das ist ein Menschenrecht.“[342]

---

[341] Rolf Hochhuth: Machthaber und Machtlose in der Kunst, in: ders.: Und Brecht (1996), a. a. O., S. 165.

[342] Rolf Hochhuth: Liebe (1983), a. a. O., S. 74.

Hochhuths Lebensmaxime geht zurück auf Karl Jaspers, der ihm diesen Satz – eine Kurzfassung der Moralphilosophie Kants – empfiehlt: ‚Kein Mensch darf nur als Mittel benutzt werden.' In dem Gedicht ‚*Sein* Grundbesitz' attackiert Hochhuth das von den Rechten geschaffene und von den Linken geduldete Faktum, daß Arbeitende zu keinem nennenswerten Eigentum kommen können:

> Als Mittel nur im Berg, am Bau vernutzt,
> am Fließband auch – wird in Regierungszoten
>
> Der Proletarier verhöhnt: Daß ihm Konsum
> – Kleid, Essen, Hausrat – ‚Werte' gab!
> Gewiß, auch er kriegt Land, posthum.
> Auf zwanzig Jahre Grundbesitz: sein Grab.[343]

Ideologie beginnt dort, wo versucht wird, *die* Natur des Menschen zu bestimmen, wo man konkrete Menschen *einer* monistischen Interpretation von Welt unterwirft. Deshalb ergreift Hochhuth Partei für jene, die durch ihre Häresien die ‚reine', sprich unmenschliche Lehre schwächen und korrigieren, so etwa Kolakowski und Büchner in bezug auf den Marxismus, Hans Küng in bezug auf den Katholizismus. Auf letzteren gemünzt schränkt er allerdings ein, daß wer „einem Tyrannen geholfen hat, andere (oder wenigstens andere Meinungen) zu verfolgen, der sollte nicht so naiv sein zu beklagen, wenn auch er die Quittung dafür bekommt, einem System gedient zu haben, das Opposition unterdrückt"[344].

Bertolt Brecht unterwirft seine Lehrstücke dem stalinistischen Dogma, und er revidiert seine Meinung nicht, als er schon von den Säuberungen und Schauprozessen weiß. Sind für alle russischen Veröffentlichungen Zitate aus den Werken Stalins vorgeschrieben, so unterwirft Brecht seine Ästhetik freiwillig dem Parteiprogramm. Weil er die Natur des Menschen für veränderbar hält, spielt er sich auf als Pädagoge, sein Klassenhaß ist „nicht

[343] Rolf Hochhuth: O Deutschland (1986), a. a. O., S. 181.
[344] Rolf Hochhuth: Frauen, in: ders.: Syrakus (1995), a. a. O., S. 232.

weniger inhuman und borniert als Hitler in seinem Rassenhaß“[345]. So begrüßt Brecht die Ermordung der Hitler-Attentäter vom 20. Juli, nur weil diese Adelige sind.

Der Mensch ist professioneller Vernichter der Erde, er ist brutalster Okkupant, er nimmt stets mehr als er braucht, „wo immer er hinkommt, der Mensch, / versteppt er den Park, / den die Natur ihm hinhielt ... / der Parasit im Paradies, / einzeln das Ebenbild Gottes, / in Masse das der Heuschrecke“[346]. Menschen bekriegen die Natur, als wären sie nicht Teil von ihr, sie bezeichnen sich mangels Selbstironie als ‚Krone der Schöpfung‘,

> sie spielen Gott – statt als ihr Diener
> die Schöpfung mit sich zu verschonen![347]

Hoffnung gründet nicht darauf, was der Mensch kann, sondern darauf, daß er noch nicht alles kann. Robert Oppenheimer, der Leiter des ‚Manhattan Project‘, hat schon zehntausende Tote auf dem Gewissen, als er sich dem Bau der Wasserstoffbombe entgegenstellt und deshalb von Präsident Eisenhower prompt zum ‚Kommunisten‘ abgestempelt wird. Derselbe Oppenheimer, der 1945 die beiden Atombombenabwürfe „auf das bereits um Kapitulation bittende Japan mit dem ungeheuerlichen Satz ‚rechtfertigte‘: ‚Wir wollten, daß es geschah, ehe der Krieg vorüber war und keine Gelegenheit mehr dazu sein würde!‘“[348] Bitter fügt Hochhuth hinzu: „Und dieser Mensch starb im Bett – statt am Galgen!“[349]

Ausgleichende Gerechtigkeit: Auf sie zu hoffen, ist nach Auschwitz und Hiroschima selbst schon wieder unmoralisch. Der Gott, der diese anzuordnen vermag, wäre wohl auch mächtig genug gewesen, diese Katastrophen zu verhindern. Aber vielleicht driften Gott und Güte so weit auseinander,

---

[345] Rolf Hochhuth: Und Brecht sah das Tragische nicht, in: ders.: Und Brecht (1996), a. a. O., S. 16.

[346] Rolf Hochhuth: Tod (1991), a. a. O., S. 1731 f.

[347] Rolf Hochhuth: Umweltschmutz, in: ders.: Syrakus (1995), a. a. O., S. 183.

[348] Rolf Hochhuth: Umweltschmutz (1995), a. a. O., S. 179.

[349] Rolf Hochhuth: Umweltschmutz (1995), a. a. O., S. 179.

daß moralisch ein taktischer Atheismus angebracht scheint: „Der Gott war selten menschlicher als der weiße Hai, während wir ihn uns als Weihnachtsmann vorstellen möchten … Wer angesichts der Opfer für sich festlegt, es gäbe keinen Gott – fällt wenigstens nicht in Versuchung, *ihm* die Abwehr der großen Schweinereien zu überlassen, sich als Mensch ein bißchen mitverantwortlich zu fühlen“[350]. Amoralischer Mensch und inhumaner Gott: Ethik beginnt dort, wo man Schuld bei sich selber sucht.

Voltaires „letzte Gewißheit: daß der Mensch, wie alle anderen Wesen und wie vielleicht alles im Universum überhaupt, geschaffen sei, um zu sein, und um dann nicht mehr zu sein“[351], solche Nüchternheit verträgt sich nicht mit der modernen Sinnverbissenheit. Weil der Mensch das einzige Wesen ist, das gegen den Tod zu protestieren vermag, sei es durch Betriebsamkeit, Liebe oder Angst. Sterbebereit zu leben, die ewig antwortlosen Fragen fallenzulassen, in unvollständiger Versöhnung versuchen, sich zu finden: Mehr kann der Mensch nicht tun, weil er „nie erfahren kann, wozu er ist. Und war.“[352]

[350] Rolf Hochhuth: Grüninger-Novelle, in: ders.: Panik (1991), a. a. O., S. 399.
[351] Rolf Hochhuth: Vorstudien (1971), a. a. O., S. 364.
[352] Rolf Hochhuth: Cicero (1995), a. a. O., S. 118.

Kapitel 4

‚Heute habe ich Wut, daß ich alt bin!' – Gespräch mit Rolf Hochhuth

Herr Hochhuth, Sie haben einmal formuliert: „Schreiben heißt zuerst: sich vergewissern wollen". Könnte man diese Aussage generalisierend als Ihr schriftstellerisches Ethos verstehen?[353]

[353] Das Gespräch zwischen Rolf Hochhuth und mir fand statt am 27. Dezember 1999 in Berlin, im Beisein von Frau Euler, Hochhuths Gehilfin, und Merav Kouzar-Rauscher, meiner Ehefrau. Am Abend zuvor hatte uns Hochhuth zu seiner Inszenierung von ‚Wessis in Weimar' ins Steglitzer Schloßpark-Theater eingeladen. Ein ungeheuerer Eindruck. Nach der Selbstmordszene des alten Bauernpaares bricht eine Zuschauerin in der Pause zusammen, andere weinen. Die jüngste Zeitgeschichte wirkt seit je am stärksten. Auch das erste Drama der Weltgeschichte, Phrynichos ‚Fall von Milet', bringt durch das Vorführen vaterländischen Unglücks das Publikum zum Weinen, so berichtet es Herodot. Und weil es moralisierend die militärischen Gewaltgreuel erinnert, zögert die Staatsgewalt, Themistokles, auch keinen Augenblick, das Stück wegen seiner ‚demoralisierenden' Wirkung sogleich zu verbieten. Warum muß man heute die ‚Wessis in Weimar' nicht verbieten? Weil an die Stelle der Literatur die Literaturkritik getreten ist.

Ja, man schreibt, was einen interessiert. Und man weiß doch sehr Ungenaues fast immer nur, wenn man anfängt. Und die Tatsache, daß man etwas nun zu seinem Thema macht, zu seiner Arbeit, das führt dazu, daß man es so gründlich, wie es einem möglich ist, recherchiert. Während Sie mir das vorlasen – ich kannte das Wort nicht – dachte ich, daß es natürlich eine Übertreibung ist insofern, als man ja nicht hoffen kann, wenn es sich um ganz wesentliche Fragen handelt, Fragen, die sie zum Titel Ihres Buches machen, daß man dann ja nicht wissen kann, wie weit man der Dinge gewiß wird.

Verhält sich der Autor so ähnlich wie der ungläubige Thomas, der seine Zweifel durch das Ertasten der Wundmale überwinden will? Auf Ihre Methodik bezogen müßte man das Bild vielleicht abwandeln und sagen: die Wunden erkunden, indem man Salz hineinstreut.

Das Salz-hineinstreuen geht mir eigentlich zu weit. Gerade wenn Sie von Wunden sprechen, hat das ja etwas Sadistisches, wenn man Salz in Wunden streut, und das möchte ich doch nicht tun. Aber ich möchte schon wissen, ob die Wunden echt sind und bei welcher Gelegenheit und aus welchem Anlaß sie ‚empfangen' wurden. Ich freue mich auch, wenn Wunden verheilen, vernarben. Ich habe selbst im Privatleben Konflikte, mit Söhnen zum Beispiel, ich habe drei Söhne, da gibt es bei mir auch eine Menge Wunden. Wir haben uns vorgestern sehr gezankt, mein Ältester und ich. Und natürlich freue ich mich, wenn so etwas übermorgen wieder vernarbt ist.

Etwas präziser könnte man dann von einer ‚positiven Ungläubigkeit' sprechen, mit der Sie an Ihre Themen herantreten.

Ja, ‚positive Ungläubigkeit' finde ich ein gutes Wort. Da ist etwas dran. Ich habe ja auch eine ganze Menge von Theologen als Vorfahren, und ich habe in meiner Jugend, so mit zwölf oder vierzehn, da habe ich das dann schon als einen immerwährenden und nicht zu heilenden Mangel empfunden, daß von der Glaubensseite bei mir nicht genug kommen konnte. Es gibt einen sehr guten Freund, Martin, sein Vater war Pfarrer, und für den war das ein Problem, daß er einen als Freund hatte, der ihm so zusetzte. Und mich hatte dann wieder ganz unglaublich beeindruckt, daß dieser Martin – mit dreizehn oder vierzehn kam ich in seine Klasse, ich war in der sechsten sitzengeblieben – daß es für den nicht eine Sekunde einen Zweifel gab, ob er Pfarrer wird wie sein Großvater und sein Vater. Das war vollkommen klar für ihn. Diese Sicherheit hat mir doch großen Eindruck gemacht. Es war auch ein bißchen Neid dabei.

Aber vielleicht mußte Ihnen das gar nicht so leid tun, zumal doch einer Ihrer Gewährsmänner, Gottfried Benn, behauptet hat, daß Religiosität ein „schlechtes Stilprinzip" sei, weil es den „Ausdruck erweicht".

Benn hat sich natürlich niemals distanziert vom evangelischen Pfarrer, ja ganz im Gegenteil, er hat ja auch über seinen Vater zwar lustig geschrieben, aber doch mit großer Hochachtung. Das war von ihm wahrscheinlich auch eine vollkommen natürliche Reaktion auf diese kolossale Rechristianisierung der deutschen Literatur nach dem Kriege, speziell durch den Katholiken Reinhold Schneider, durch den Protestanten Bergengruen, der dann aber auch katholisch wurde, soweit ich weiß, durch die Langgässer natürlich – überwältigend große Figuren. Und ich weiß auch, daß Otto Flake irgendwo in einem Lebensrückblick geschrieben hat: „Hielt man bisher die Unkirchlichkeit unserer Klassiker für einen festen Bestand, so regieren jetzt die kleinen Leute im Geiste" – sehr böse. Er hatte mit dem Reinhold Schneider so ein undefinierbares Erlebnis, dieser war ja ein Hoteliersssohn aus Baden-Baden und schaute sehr auf zu dem eine Generation älteren Flake, mit dem er auch lange Spaziergänge machte, und hat sich dann später total von Flake, gerade als der im Elend war, gelöst. Flake sagt, er hätte keine Ahnung warum, aber ich bin mir ganz sicher, daß er irgendwelche schroffe Sachen gegen das Christentum gesagt hat. Und aus dem Grund hat sich der junge Schneider von ihm distanziert, nehme ich an, sonst wäre das nicht denkbar. Übrigens muß ich sagen, ich schulde Reinhold Schneider erheblichen Dank. Ich habe die Bücher ‚Verhüllter Tag' und ‚Der Balkon, Aufzeichnungen eines Müßiggängers in Baden-Baden', ein Meisterwerk, mit großer Anteilnahme gelesen und auch seinen ‚Las Casas vor Karl V.'. Es ist unglaublich, wie solche Autoren allmählich aus dem Blickfeld geraten.

[Frau Euler:] Um auf die Ausgangsfrage zurückzukommen, was für ein Gespür du hast, Probleme auszukundschaften: Durch das Schreiben erfährst du eigentlich erst die Hintergründe, es ist ein spontaner Zugang zu einem Stoff.

Ja, ich meine, wenn ein Thema einen angeht, wenn es einen so sehr fasziniert, daß man denkt, da möchte ich etwas daraus machen, dann weiß man natürlich oft noch sehr wenig davon. Die Arbeit bringt dann die Gründlichkeit.

Herr Hochhuth, man behauptet, der Stoff aus dem Ihre Literatur gemacht ist, sei Empörung. In einem Interview haben Sie einmal gesagt, ein Merkmal des Alters sei die Unfähigkeit, wütend zu werden. Welches Verhältnis haben Sie heute, zwanzig Jahre später, zum Alter und zur Wut?

Heute habe ich Wut, daß ich alt bin. Das ist jetzt meine Wut! Ich empfinde das Alter letztlich schon als eine große Belastung. Ich kann mich aber doch, was ich vor zwanzig Jahren nicht für möglich hielt, jetzt muß ich mich selber loben, ich kann mich doch noch erheblich aufregen. Und zwar manchmal ohne Dimension.

Die Wut hält Sie auch jung.

Ja, sie ist noch da. Ich habe beispielsweise feststellen müssen, daß von gestern Morgen, das war der 26. Dezember, bis zum 3. Januar morgens, also sage und schreibe sieben Tage, ein ganzer Stadtteil hier vom Reichstag an bis zum Schloß Bellevue, dem Sitz des Bundespräsidenten, und unzählige Straßen abgesperrt sind, abgesperrt schon jetzt, total unbefahrbar, weil in der Silvesternacht eine Stunde Feuerwerk gemacht wird. Und da habe ich gesagt, ich schreibe in meine historischen Betrachtungen doch noch den Passus: „Die hysterische Nation“ oder „Die Nation der Hysteriker“. Es ist ja unglaublich, wissen Sie. Weil wir also Zuschauertribünen aufstellen, kann eine Woche lang kein Auto dort fahren, wegen eines Feuerwerks von einer Stunde. Wir sind eine hysterische Nation! Über so etwas kann ich mich dann doch noch sehr aufregen. Ich nehme an, der Erste Weltkrieg ist aus dieser Hysterie entstanden. Der Zweite nicht, der Zweite war unvermeidlich, weil – wie Golo Mann sagt – Hitler „den Krieg im Leibe" hatte. Der Zweite Weltkrieg war nicht zu vermeiden, so lange Hitler lebte. Aber der Erste? Wenn sie heute die Gründe erforschen, es sind gar keine richtigen Kriegsgründe, es ist viel Hysterie dabei. Also, Sie hören, ich kann mich noch aufregen. Obwohl das vielleicht auch schon ein bißchen Hysterie ist, denn man sollte sich ja eigentlich über ein Feuerwerk, und was immer das an Folgen zeitigt, nicht aufregen. Ich habe es aber getan.

Ernst Jünger wurde 103 Jahre alt. Wie kam es zu dieser besonderen Beziehung zwischen Ihnen beiden?

Schon bei meiner Buchhändlerprüfung, 1950 glaube ich, habe ich eine Arbeit über die ‚Strahlungen' geschrieben, die waren damals gerade erschienen. Ich habe ihn schon sehr früh sehr fasziniert gelesen. Und irgendwann gab es einen Brief von mir, und so kam das dann. Ich kann aber den Anlaß für diesen Brief nicht mehr erinnern. Wir haben ihn oft besucht, Frau Euler und ich.

In ‚Wessis in Weimar' haben Sie Jüngers Schrift ‚Der Waldgang' ein Denkmal gesetzt, Sie bezeichnen diese als Dynamit in Buchform.

Das Buch spielt auch in der Doktorarbeit meines Sohnes eine Rolle. Er hat den Dr. jur. beim strengen Böckenförde gemacht, der ja auch ein Theologe ist. ‚Der Waldgang' ist explosiv – nicht zu integrieren.

Sie haben gemeinsam mit Jünger die Höhle von Lascaux besucht. Die Wandmalereien dort zeigen Hirsche und Urrinder, aber keine Gottheiten. Aufgrund dieser Beobachtungen schließen Sie in einem Gedicht: „Spät erst, Verbrecher geworden, erfanden sie aus Angst Sündenböcke – Götter!"

Ja, ich nehme an, daß der Mensch selber, mit dem was er gemacht hat, was er anstellt an Schlimmem, nicht ohne weiteres leben kann, sondern daß er dieser Projektion bedarf, damit er sagen kann: Gott hat es gewollt. Es ist schicksalsverhängt. Ich glaube, das sind weitgehend auch Aushilfen, Ausreden. Es war für mich natürlich sehr verblüffend, daß der Pfarrer aus der Gegend dort von der „Sixtinischen Kapelle der Archäologie" sprach.

Wir schreiben das Jahr 36 nach der Uraufführung Ihres ‚Stellvertreters' hier in Berlin. Das Stück führte zu Demonstrationen, Schlägereien, Bombendrohungen.

Vor allen Dingen in Basel, und auch in Paris waren die ersten dreizehn Vorstellungen vollkommen durch Demonstrationen zerrissen. Dann fuhr der Kardinal von Paris zu de Gaulle und sagte „Verbieten Sie das, das ist kein Theaterstück, das ist ein Ärgernis, jeden Abend werden da Scheiben kaputt geschlagen im Theater". Aber da kam er an den falschen, er hatte nicht gewußt, daß de Gaulle jenen Papst verabscheut hat, denn Pius XII. hat diesem sehr stolzen Mann Schlimmes angetan. Er hat nämlich nicht die Exilregierung des Generals de Gaulle in London diplomatisch anerkannt, so wie er zum Beispiel die polnische Exilregierung Sikorskis anerkannt hatte, sondern er hat die faschistische Petain-Regierung in Vichy-Frankreich diplomatisch anerkannt. Und dies hat de Gaulle ihm natürlich nicht verziehen und gönnt ihm offenbar den ‚Stellvertreter'.

Warum vermag das Theater heute nicht mehr die Menschen derart in Bewegung zu setzen, sind wir gleichgültiger geworden?

Vielleicht hat aber auch die Hochachtung vor dem Christentum und damit auch vor dem Stuhl Petri vor bald vierzig Jahren noch viel mehr Nachdruck gehabt. Das könnte auch sein. Wir sprachen eben über die Christianisierung der Literatur um 1950. Das könnte mitspielen. Und dann kommt noch hinzu: Es hat ja kein Papst mehr in Deutschland ein ähnliches Renommee gehabt wie Pius XII., der eben schon als Nuntius in München gewirkt hat, dann in Berlin, und der eine Autorität war, die dann im menschlichen Bereich Johannes XXIII. weit überboten hat, aber doch nicht mehr in seiner Eigenschaft als Figur der Macht und auch des Glanzes der Kirche. Ich würde also nicht unbedingt sagen, daß die Leute gleichgültiger geworden sind, sondern daß sie nicht mehr ganz so auf das Christentum fixiert sind wie vor vierzig Jahren.

Kann man sagen, daß Ihre Papstkritik damals deshalb so scharf ausfiel, weil Sie gerade dem Pontifikat Großes zugetraut hätten?

Ja, aber ich glaube wirklich, daß sie sich in richtigen Dimensionen verhalten hat. Ich glaube nicht, daß ich als Autor und Zeitgenosse die Macht des Stuhles Petri in der Nazizeit, in der Kriegszeit überschätzt habe. Man muß sich auch vorstellen, daß das Militär ganz unfähig gewesen ist, diesen täglichen Pilgerstrom deutscher Soldaten zu Pius XII. zu verhindern. Es gab ja feste Zeiten, während der er deutsche Soldaten in Massenaudienzen empfangen und gesegnet hat. Und die Nazis wußten, daß sie dagegen nicht ankommen. Ich meine, ein Protest von diesem Mann und vor allem die Offenlegung der Wahrheit – niemand hätte Pius XII. für einen Lügner oder einen Propagandisten gehalten –, das wäre für viele Nazis ein ganz großes Problem gewesen.

Ohne vom himmelschreienden Versagen Pius XII. ablenken zu wollen: Ist das eigentliche Skandalon des ‚Stellvertreters' nicht das ausbleibende Eingreifen des Schöpfers? Das göttliche Schweigen angesichts der Nazi-Barbarei …

… ist natürlich unfaßbar …

… und ist doch die Hauptaussage des 5. Aktes und wird von jenen ignoriert, die das Stück entschärfend als bloße Papstkritik interpretieren wollen.

Daß das Stück mit dem 5. Akt steht und fällt, und daß alles, was sich begrenzt auf die Kritik an der irdischen Macht – Gottes, wenn man so will –, daß das zu kurz greift, das hat bereits Walter Muschg festgestellt.

Daß der Papst nichts getan hat, das könnte man ja noch als menschliches Versagen verstehen, aber daß Gott inaktiv blieb …

Ich halte diese Deutung des 5. Aktes noch immer für legitim dann, wenn sie nicht benutzt wird, seine Stellvertreter auf Erden zu exkulpieren. Nur dann. Ich habe ja in dem Benn-Zyklus einen Vierzeiler über Goya, der unter ein Blatt mit Kriegsgreueln – man sieht wie Menschen gemartert werden – schreibt: „Man wundert sich, daß Gott uns geschaffen hat! …"

„… uns wundert nur noch, daß Goya das glaubte."

Ja. So weit war ich damals noch nicht. Ich will nicht sagen, daß ich damit weit gekommen bin. Ich bin vielleicht tief gefallen, daß ich jetzt diese Folgerung ziehe.

Letztes Jahr hat der Vatikan sein Shoa-Dokument veröffentlicht, das anstelle eines Schuldeingeständnisses eine ausführliche Exkulpierung Pius XII. enthält, er wird dort als Retter hunderttausender Juden dargestellt.

Das ist diese Lüge von dem Lapide, der nie sagen konnte, wo diese Juden eigentlich gelebt haben sollen während des Holocausts. Das ist ein Jesuitenpater jüdischer Herkunft, der dadurch zum Verräter an seinem Volk geworden ist. Ich habe ihn einmal gestellt und gefragt, wo denn diese hunderttausenden Juden gelebt hätten, er sprach von sechshunderttausend, glaube ich, wo hat er die gerettet, wo waren die denn, können Sie mir ein paar Klöster nennen oder irgendeinen Bereich, wo die Nazis nicht hinkamen? Da konnte er gar nichts sagen.

Eine Gegenfigur zum feig schweigenden Papst ist der Hitler-Attentäter Maurice Bavaud. Ein Schweizer Theologiestudent, der uns 1938 beinahe vor dem Schlimmsten bewahrt hätte. Wie kamen Sie auf ihn?

Hitler hat bei Tisch mehrmals von einem Schweizer ‚Oberkellner' gesprochen. Er hat sich vor seiner engsten Umgebung geniert zu sagen, daß ein Theologiestudent sich zum Mord an ihm entschlossen hat. Ich habe den britschen Historiker David Irving konsultiert, und der hat gesagt: „Das war kein Kellner, das war ein Theologe." Er hat mir den Namen besorgt. Und dann bekam ich den Basler Kunstpreis und wollte diese Dankrede halten. Eines Tages rief mich meine Frau an im Büro und sagte: „Du weißt, daß Du Dich lächerlich machst. Du sollst in zehn Tagen die Rede halten und hast noch keine Zeile, weißt gar nicht, wer das ist. Hör auf und schreib etwas anderes!" Ich hatte die Telefonbücher der französischen Schweiz nach dem Namen ‚Bavaud' abgesucht, und ich war schon am Rand der Panik, da griff ich nach dem Basler Telefonbuch und da stand drin: „Bavaud, Zollinspektor". Ich rief an, und jemand sagte: „Ja, der war mein Vetter". Und am nächsten Tag hat mich eine Freundin – ich kann nicht Auto fahren – in das Dorf zu den Eltern gefahren, beide waren sechsundachzig, und da fand ich auch das Bild.

Es gibt im wesentlichen zwei Interpretationen des Bavaud-Schicksals: Die Ihrige und die des Schweizer Geschichtsprofessors Klaus Urner. Warum hat Urner nicht recht, wenn er sagt, daß dem Attentatsvorhaben weder antifaschistische noch rational nachvollziehbare Motive zugrundelagen?

Recht hat nicht der Urner und nicht der Hochhuth, sondern der Bavaud. Man kann es sogar belegen, daß Urner da völlig fehlgeht, denn der Zufall – Zufall war es nicht, nein – die Fügung, daß das ein Mann war aus der Nation des Tell, nämlich ein Schweizer, hat ja überhaupt verhindert, daß die letzte Spur dieses armen Hundes verwischt wurde. Denn nur weil er Schweizer war, hat von Weizsäcker, Staatssekretär des Führers im Auswärtigen Amt, eine Kopie des Todesurteils bekommen. Und nur deshalb konnte ich das Todesurteil ja auffinden, denn hier, zwanzig Häuser weiter im Hof der Gestapo des Prinz-Albrecht-Palais, wurden ja viele Tage lang vor dem Einzug der Roten Armee sämtliche Akten des Volksgerichtshofs verbrannt. Es gäbe keine Spur mehr von dem Schweizer, hätte nicht von Weizsäcker eine Kopie gehabt. Und Bavaud hat ja klipp und klar, ich habe es zitiert, am Ende gesagt, warum er das getan hat: Er wollte der Christenheit damit einen Dienst erweisen, speziell auch der Schweiz, deren Eigenständigkeit und Sicherheit der Führer bedrohe, was ja vollkommen selbstverständlich ist. Ich bin ja so alt, daß ich zwar nicht mehr in der Hitlerjugend war, aber beim deutschen Jungvolk, da gab es den Spruch: „Die Schweiz, das macht die HJ". Es hieß, die Schweiz ist wichtig als Finanzplatz, und man wußte, daß die Kriegsmarine in Zürich-Oerlikon die Feinmechanik für die U-Boote bauen läßt. Und die Engländer haben nicht riskiert, die Schweiz zu bombardieren. Wäre ich der Churchill gewesen, ich hätte brutal Oerlikon weggebombt, weil da die ganze Feinmechanik für die deutschen Waffen gebaut worden ist. Das war die große Sicherheit für Deutschland, daß man in der Schweiz die Rüstungsfabriken, die ja alle für Nazideutschland gearbeitet haben, nicht bomben konnte. Und deshalb sagte man „Die Schweiz, das macht die HJ". Nach dem Krieg, wenn die Wehrmacht sich ausruht von ihren Siegen, dann wird die Hitlerjugend die Schweiz erobern. Es gibt auch viele Äußerungen von Hitler, daß er die Schweiz durchaus dem Reich einverleibt hätte, hätte er gewonnen. Das ist gar keine Frage.

Welche Rolle spielt dann aber Bavauds Kommilitone Marcel Gerbohay?

Das ist ein Wirrkopf gewesen, der im sicheren Frankreich war, verhaftet und hingerichtet wurde. Das habe ich nicht so recherchieren wollen und können, das ging mir dann zu weit. Das ist eben der, der keinem Berühmten fehlt, das ist der Obskurant an seiner Seite. Welche Rolle der nun spielte, ob das eine Jugendfreundschaft war oder ein Halbschwuler, ich weiß es nicht. Ich bin der Sache nicht auch noch nachgegangen. Ich freue mich ja immer, wenn ich irgend so etwas gemacht habe wie diese Rede, daß dann auch andere kommen. Ich selbst bin dann aber mit so einem Thema fertig. Ich habe nur gestaunt, als ich hörte, dieser Gerbohay sei dann auch noch geschnappt worden.

Von Bavaud sind auch antijüdische Äußerungen etwa im Anschluß an die Eindrücke während der Kristallnacht überliefert. Offensichtlich galt das Attentat nicht dem Antisemiten Hitler.

Das könnte natürlich – aber das will ich jetzt nicht behaupten, und ich möchte auch nicht, daß Sie mir das in den Mund legen, aber ich gebe meine Bedenken weiter – mit seinem Besuch des Priesterseminars einen direkten Zusammenhang haben. Viele Christen waren große Antisemiten, aber ich will ihm das wirklich nicht unterstellen.

Auf die Frage, ob Sie an Gott glauben, haben Sie einmal geantwortet: „Das wechselt. Meistens nicht, zuweilen doch." Sind Sie diesbezüglich heute immer noch unentschlossen?

Das ist noch genau dasselbe. Nicht Gott als den Schöpfer, aber als den das Universum Regierenden anzusehen, da sehe ich die größte Hemmnis. Angesicht solcher Orte wie Verdun oder Auschwitz oder – wo immer Menschen etwas passiert ist – Nagasaki, diese Vivisektion eines nachweislich schon um Kapitulation bittenden Volkes. Wie ist denn das bei Ihnen, darf ich einmal die Gegenfrage stellen?

Ehrlich gesagt, bin ich kein sehr gläubiger Mensch.

Wenn Sie Theologie studiert haben und das zum Thema machen, zeigt das natürlich, daß Sie sich auch davon noch nicht richtig abgenabelt haben und es wohl auch nicht wollen. Wir wollen das, glaube ich, alle nicht.

Ihr sympathischer Sohn Martin, der in Freiburg in den Rechtswissenschaften habilitiert, hat gestern Abend in der Pause von ‚Wessis in Weimar' eine berührende Parallele gezogen zwischen der Papst-Riccardo-Beziehung und Ihrer Vater-Sohn-Beziehung. Von der Problematik, die darin zum Ausdruck kommt, einmal ganz abgesehen, ist es doch eine höchst amüsante Vorstellung: Papa Hochhuth in der Rolle des Papa Pius XII.

Ja, das würde ich auch sagen! Das amüsiert, nein, erstaunt mich jetzt aber wirklich. Es ist unglaublich, was man so von seinen Söhnen hört. Daß er so etwas sagt, das irritiert mich aufs Äußerste, denn er begegnet mir mit vollendeter Respektlosigkeit, wie auch anders gar nie gewollt. Ich habe meine Söhne natürlich immer völlig teilhaben lassen an meinem Leben, auch an seinen Schattenseiten, und es gab eine große Vertrauensbasis zwischen uns, aber auch sehr starke Aggressionen der Söhne gegen mich. Sie haben ja noch keine Kinder, aber sie werden merken, daß es problematisch ist. Aber ich sehe da mit Rührung, daß Sie ihrem Vater das Buch widmen. Ich hatte auch diese sehr positive Beziehung zu meinem Vater, ein eher kritisches zu meiner Mutter.

Sie gelten nicht nur als ein Autor der Empörung, sondern ebenso als ein Autor der Erinnerung oder besser noch: des Gedenkens. Woher stammt Ihre mitreißende Hochschätzung des Individuums in der Geschichte?

Ich glaube, das war eine Opposition gegen den Zeitgeist der sechziger, speziell der achtundsechziger Jahre, als man auch mir vehement vorhielt, ich würde eine vollkommen obsolete Dramaturgie praktizieren, denn der einzelne habe doch gar nichts mehr zu melden. Das ist diese marxistische Maxime, daß nicht mehr einzelne Geschichte machen, sondern die gesellschaftlichen Bedingtheiten. Und das ist natürlich, gerade wenn Linke das behaupten, besonders absurd, weil ja gerade die Linken auch geprägt wurden durch erdrückend große Einzelhandelnde, angefangen bei Marx und Engels, bei ihren Urvätern, bis hin zu Stalin, Tito oder Mao. Das war eine Epidemie. Wer also überhaupt noch unterstellte, daß zum Beispiel dieser eine, Hitler, die beiden größten Kraftanstrengungen der Nazis ins Werk gesetzt hat, nämlich den Holocaust und den Rußlandfeldzug, was im einzelnen ja nachweisbar ist. Selbst Göhring war 1938 noch kein Antisemit und wußte natürlich auch, daß seine Mutter acht Jahre die Geliebte eines Juden gewesen war. Wer also so etwas nicht nur sagen, sondern in Stücken zeigen wollte – speziell bei dem Churchill-Stück wurde mir das vorgehalten – der mußte einfach angehen gegen diese Entmündigung des Individuums. Und wenn man gegen etwas angeht, dann ist man leicht auch geneigt, das vielleicht zu übertreiben oder überzubetonen. Aber dann kommt auch noch die rein ästhetische Tatsache hinzu, daß sie ja auf der Bühne sowieso nur mit drei bis fünf Leuten agieren können. Sie können nur das Individuum zeigen. Sie können ja nicht einmal ein Dorf zeigen, nicht einmal einen Versammlungsraum. Es sind immer die einzelnen, die im Guten und im Bösen die Weichen stellen.

Sie haben bewirkt, daß Leute wie Maurice Bavaud, Georg Elser oder Alan Turing nicht dem Vergessen anheimfallen. Gleichzeitig beschreiben Sie den Zweck der Geschichte als Potenzverschleiß, als Beschäftigungstherapie für Staaten und Völker. Wie kann auf der einen Seite das Handeln einzelner sinnvoll sein, wenn Sie auf der anderen Seite das Ganze der Geschichte als sinnleer betrachten?

Ich hüte mich, das Wirken des einzelnen generell als sinnvoll zu beschreiben. Natürlich gibt es ein höchst sinnvolles Handeln auch. Was zum Beispiel Elser und Stauffenberg gemacht haben, war höchst sinnvoll, wenn es auch schief gegangen ist. Aber ich sage, es ist zweckgebunden, es hat den Zweck, eine Generation nach der anderen stromab zu führen, ihre Potenzen, ihre Intelligenzen zu verbrauchen für Aufgaben, die einem Zeitalter besonders gravierend erscheinen. In unserem Zeitalter ist dies etwa die Weltraumfahrt, eine gigantische Kraftanstrengung, von der ich denke, daß sie ins Leere verpufft. Ich habe vor einiger Zeit gelesen, daß der Chef der NASA auf den Tag genau den 20. Juli 2019 als den Tag voraussagt, an dem der erste Mensch auf dem Mars sein wird. Und die Art wie er das begründet und gutgeheißen hat, hat mir gezeigt, daß dieses von mir oft zitierte unheimlichste Wort von Nietzsche stimmt, wo er sagt: „Irrsinn ist bei einzelnen etwas Seltenes – aber bei Gruppen, Parteien, Völkern und Zeiten die Regel." Die Intelligenz des NASA-Chefs, kann man ja überhaupt nicht in Abrede stellen, trotzdem ist das Ganze, sobald man es auf das Zeitalter bezieht, der totale Irrsinn. Warum soll man eigentlich auf den vierhundert Millionen Kilometer entfernten Mars, wenn man weiß: Da ist kein Sauerstoff. Und dann begründet der Mann ausführlich, daß man wohl irgend etwas da oben entwickeln kann, was den Rückflug ermöglicht! Also ich meine: Hinzufahren, um wieder zurückfahren zu können, und das für Milliarden, wenn man weiß, daß man mit einem Bruchteil dieser Gelder die Sahara bewässern könnte oder die Wüste Gobi in blühendes Ackerland verwandeln.

Geschichte sei wie das „Pflügen des Meeres", haben Sie in Anlehnung an Simón Bolívar einmal geschrieben. Steckt dahinter nicht eine Portion Zynismus?

Es ist nicht zynisch. Es ist eigentlich – Resignation. Und es ist ja auch gar nichts Böses. Warum soll denn nicht eine Generation nach der anderen sich verschleißen. Wir sind nun einmal wie Blätter, die jedes Jahr abfallen und vergehen. Ich habe neulich ein Gedicht geschrieben, das fängt an: „Generation der Eltern, wie ein Wald geschlagen". Das merke ich ja nun schon, daß keiner mehr da ist, mit denen ich jung war, wenn ich jetzt bald siebzig bin. Das ist ja nicht zynisch, wenn man das feststellt.

Es ist vielleicht nicht zynisch, aber es macht doch einen Unterschied – und keiner hat das uns Lesern intensiver vor Augen geführt wie Sie –, ob ich meine Energie verschleiße, indem ich Hitler anhange oder ihn beseitige.

Ja, natürlich. Der Unterschied ist ganz evident. Die Frage ist aber, ob man eine moralische Bewertung daran hängen kann, denn was wollen Sie dem Zigarrenhändler da an der Ecke ewig nachtragen, daß er 1933 auf den Hitler reingefallen ist. Selbst ein Bruder meines Großvaters, ein Wachstuchfabrikant, der öffentlich durch die Ortsgruppe verwarnt worden ist, weil er in der Kristallnacht jüdischen Nachbarn geholfen hat, Möbel, Teppiche, die die SA auf die Straße geschmissen hat, wieder ins Haus zu tragen, der antwortete auf meine Frage, wie das denn gewesen war zu Beginn der Nazizeit: „Na ja, es wurde endlich mal wieder Geld verdient." Sie können vom Zeitgenossen nicht verlangen, daß er erkennt, daß er da nicht mitmarschieren darf, nehme ich an. Das ist heute natürlich anders, denn heute haben wir Aufklärung auch durch das Ausland. Aber wenn Sie sich vorstellen dieses totale Abgeschlossensein im Reich, es gab keine ausländischen Zeitungen mehr zu kaufen, die irgendwie deutschkritisch waren. Es gab keine Radios, meine Eltern haben 1938 noch kein Radio gehabt, und dann hat meine Mutter 1939 gegen den Willen meines Vaters eines gekauft, als Hitler nach Prag marschiert war. Daß jemand mit Blindheit geschlagen ist, darf ihm die folgende Generation – wenn man vom Rathaus kommt, ist man klüger – nicht unbedingt vorhalten, denke ich. – Aber jetzt habe ich mich glaube ich ins Gestrüpp verirrt. Sie wollten sicherlich etwas anderes hören.

Ich will nicht unbedingt, daß Sie das sagen, was ich hören will. Aber es stimmt: Ich komme noch nicht klar mit Ihren Aussagen, daß nämlich die Gesamtgeschichte sinnlos ist, andererseits aber vergöttern Sie fast die Einzelperson, die couragiert in das Rad der Geschichte hineingreift.

Ich muß mich auch gegen das Wort „sinnlose Geschichte" ein bißchen wehren. Ich glaube, so generell sehe ich das nicht. Ich sehe ja keinen anderen Zweck und Sinn für das Individuum und auch für die Völker, als sich im Laufe ihrer siebzig Jahre, die ihnen gegeben sind, wieder abzubauen – grabwärts. Und wenn sie dann das tun, was sie im Bereich ihres Lebens kraft ihrer Anschauung und Begabung für sinnvoll halten, ihr Leben ernährend zum Beispiel den Potsdamer Platz neu bauen, den der Hitlerkrieg beseitigt hat, dann kann man dem ja nicht einen Sinn absprechen. Schon deshalb nicht, weil man einen anderen nicht wüßte. Es ist wahrscheinlich ja sinnlos nur im Hinblick auf ein Heilsgeschehen, was sicher nicht damit verbunden ist, auf eine bewußte Bewegung hin zur Ewigkeit, von der wir ja nichts wissen.

[Frau Euler:] Wenn du von der Sinnlosigkeit oder vom Verschleiß der Geschichte sprichst, so ist das doch immer im nachhinein, und bei den Individuen ist es als wirklich handelnd und aktiv …

Und das ist das Positive. Aber du kannst nicht verlangen, und das soll man ja auch gar nicht verlangen, daß wir uns nun während wir hier tätig sind, uns ja nicht mit der Frage beschäftigen: Wie lange wird das stehen, hat das einen Zweck?

[Frau Euler:] Nein, ich wollte sagen, daß du über die Geschichte aus der Distanz sprichst, und wenn du über ein Individuum erzählst, das in dieser Geschichte gehandelt hat, dann nimmst du dieses als Mensch heraus, isolierst und bewunderst es. Du nimmst ja nur solche, die du bewunderst …

… oder die ich bedaure.

[Frau Euler:] … oder die du verachtest. Auf jeden Fall setzen sich diese ab von der Menge.

Ja, weil ich im Drama immer nur den einzelnen zeigen kann. Bei meinen Vorlesungen berührt die Leute der Schluß meines Churchill-Gedichts immer auf besondere Weise. Ich schildere Churchill als den erfolgreichsten Menschen seiner Zeit nicht nur, sondern als einen der erfolgreichsten der Weltgeschichte. In zwei Kriegen hat er Führungsrollen gehabt, bekommt den Nobelpreis für Literatur, wird dann noch geadelt durch die Tatsache, daß sein Gegner nicht irgendein Fürst oder Heerführer ist, sondern der, der Auschwitz gemacht hat, so daß jeder dem Churchill die Rolle des großen Retters zuerkennt. Und trotzdem, was sagt er, weit jenseits der achtzig, am Bettrand, anvertraut nur dem Arzt: „Diese Welt! – kein Mensch, der sie kennt, würde sie jemals freiwillig betreten!" Das macht jeden betroffen. Es spiegelt die Angst vor dem, was dem Individuum passieren kann, natürlich nicht durch Geschichte, sondern durch Magenkrebs. Das ist schon ein ungeheuerer Pessimismus, und der ausgerechnet formuliert vom größten Aktivisten seines Zeitalters – das war Churchill.

Der Motor Ihres Schaffens ist durchgängig die Nazi-Herrschaft, in Ihren Stücken gedenken Sie unermüdlich deren Opfer. Sie haben Hitler einmal als Ihren Vater in literarisch-kreativer Hinsicht bezeichnet …

Nein, das habe ich nie gemacht. „Mein Vater heißt Hitler": Das ist eine sehr ‚elegante' Formulierung von Fritz J. Raddatz, die ich nie wieder loswerde. Der hat mit mir ein ‚Zeit'-Interview gemacht, und da brauchte er eine zündende Überschrift. Er lacht heute, wenn ich ihm das vorhalte. Das habe ich nie gesagt.

Sie sagen, daß die Tragödie, seit dem ‚Fall von Milet', aus dem Entsetzen über zeitgeschichtliche Ereignisse entstand. Schon damals hatte die Politik, die es betraf, das Stück verboten. Ist Phrynichos so etwas wie ein Ur-Hochhuth?

Es wäre eine Anmaßung, dies zu bejahen. Natürlich kann man unterstellen, daß ihn die gleichen Dinge als Autor in Bewegung gesetzt haben wie später auch – zum Beispiel, neben vielen anderen – mich, nämlich Politik. Und es ist ja grotesk, wenn man immer wieder versucht, aus der Politik oder Geschichte auszusteigen. Auch in der Lyrik der fünfziger, sechziger Jahre wird ja nichts Konkretes erwähnt, selbst der große Celan wurde ein völlig apolitischer Dichter, der vor sich hinmurmelt, ohne jede Form, kein Reim, kein Rhythmus. Der einzige, der konsequent formstreng blieb, war Peter Rühmkorf. Und da gab es auch die Illusion, man könnte in einem von Politik völlig geräumten Raum leben und sogar dichten – absurd!

Habe ich das richtig verstanden: Sie behaupten, Paul Celan sei ein unpolitischer Dichter?

Ja. Er hat mit vierundzwanzig die Todesfuge geschrieben in der Bukowina, dann hat er sich in den Westen abgesetzt und wurde ein vollkommen apolitischer Dichter. Er bringt nicht eine einzige konkrete Sache. Er hätte sich über ein Gedicht wie meine ‚Mauer' totgelacht, nehme ich an. Und auch im Drama, ich habe das erlebt, als ich mit dem ‚Stellvertreter' rauskam, gab es hier in Berlin eine sehr gefährliche Frau, lebensgefährlich für Autoren, die ihr nicht gefallen haben, weil sie von der sehr machtvollen ‚Süddeutschen-Zeitung' die Berliner Kulturkorrespondentin war. Und die hat sich einfach nur totgelacht. Da kommt so einer, der schreibt, als hätten Beckett und Ionesco gar nicht gelebt. Stellt einen Menschen hinauf auf die Bühne, der vor drei Jahren noch gelebt hat. Und ich nehme an, daß es im Haushalt der Literatur, auch der Malerei, solche Phasen der totalen Abstinenz von der Realität geben muß. Und das war auch das Gesetz der deutschen Lyrik, Ende der fünfziger, Anfang der sechziger Jahre. Es hat ja bedeutende Autoren gegeben wie Holthusen, die das nicht mitmachen konnten, und die dann aus Anstand total verstummt sind. Und den einzigen, denen das noch erlaubt war, Realität auch im Gedicht zu zeigen, waren Erich Kästner, damals ungefähr siebzig, Gottfried Benn und in gewisser Hinsicht auch noch Friedrich Georg Jünger. Aber den neuen war das nicht mehr gestattet.

Herr Hochhuth, ohne Sie in eine Schublade stecken zu wollen: Für mich sind Sie der Dichter der Verantwortung. Aus der ‚Hebamme' stammt der ungeheure Satz: „Man soll sich nicht um Gott kümmern, sondern um die, um die er sich nicht kümmert."

Ich habe nicht gewußt, daß ich das geschrieben habe. Aber es steht ja am Anfang des ‚Stellvertreters' schon ein ähnlicher Satz von Bernard Shaw „Hüte dich vor dem Menschen, dessen Gott im Himmel ist." Ich nehme an, daß wir dasselbe sagen wollen.

Könnte man behaupten, der Hochhuthsche Imperativ angesichts Notleidender lautet: Verliert keine Zeit mit Frommsein, baut Unterkünfte!

Da sind Sie mir wirklich auf die Spur gekommen. Ich war befreundet mit L. L. Matthias, der hat das Buch mit dem bösen Titel geschrieben ‚Die Kehrseite der USA'. Dieser Mann war ein Hamburger jüdischer Bankierssohn, der aus Abneigung gegen die deutsche Mentalität sehr früh emigriert ist. Er wurde Dozent an lateinamerikanischen Militärakademien und war ein großer Kenner aller Schlachten der Weltgeschichte. Er hat mich sehr beeindruckt, ohne ihn hätte ich ‚Guerillas' nicht schreiben können. Und er sagte mir einmal, und das war mir aus dem Herzen gesprochen: „Wissen Sie, der Freud hat die Libido für den Haupttrieb des Menschen gehalten. Das trifft nur zu auf einige Jahre. Der Haupttrieb des Menschen ist der Fürsorgetrieb." Und ich glaube, das ist wahr. Das stimmt auch mit dem zusammen, was Sie sagten mit dem Unterkünfte-bauen. Ich glaube, der Fürsorgetrieb ist so stark, daß er sogar Leute in Verzweiflungssituationen vor dem Selbstmord bewahren kann, weil jeder irgendeinen hat, der ihm am Herzen liegt, und den er nicht alleine lassen will in dieser Welt, weil er denkt, er muß für ihn noch etwas tun. Der Matthias rief mich eines Morgens an und sagte: „Ich habe vor zwei Stunden, als ich aufstand, meine Frau tot in ihrem Bett gefunden. Mein Leben ist nun vollkommen überflüssig, ich habe gelebt für diese Frau. Spätestens in drei Wochen gehe ich hinterher." Was dann auch geschehen ist. Ich werde auch nie vergessen: In den dreißiger Jahren, das war noch vor dem Krieg, bei einer der seltenen Gelegenheiten als unser Vater einmal Zeit hatte, mit uns einen Ausflug zu machen. Wir standen auf dem Eschweger Bahnhof am Fahrkartenschalter, und es standen da komisch aussehende arme Jungen vom Lande. Sie sahen so aus, als würden sie Kleidung tragen, die irgendein anderer abgelegt hatte. Und dann sagte ich zu meinem Vater, ich war vielleicht sieben: „Das gibt es doch gar nicht mehr, so arme Leute." Und er antwortete: „Oh Junge, geh mal auf das Land, da gibt es noch viele." Ich hatte in Eschwege so arme Leute nicht gesehen, obwohl ich ja für meinen Vater viele Wege ging. Er hatte eine Versicherungsagentur, und wir Kinder mußten kassieren. Ich kam in Häuser von sehr reichen und sehr armen Leuten. Die zahlten im Monat für irgendeine Lebensversicherung drei oder vier Mark. Ich habe als Kind immer auch schon die ärmsten kennengelernt, aber das war mir dann doch neu am Eschweger Bahnhof. Ich werde dieses Bild nie vergessen.

Woran arbeiten Sie im Moment?

Ich schreibe jetzt ein Stück zuende über Hermann Oberth mit dem anmaßenden Titel ‚Hitlers Dr. Faust'. Ich finde das ein faszinierendes Thema. Wenn sie geboren werden, um das Raketenzeitalter zu eröffnen, dann können sie sich nur realisieren, indem sie sagen: Ich mache eine Waffe aus dieser

Rakete, und ihr könnt damit London beseitigen. Das ist doch der Zwang für diesen Oberth gewesen, er mußte sich mit dem Teufel verbünden. Er war ein ganz friedlicher Mensch, er war Arzt. Trotzdem hat er 1917 bereits als österreichischer Sanitäts-Feldwebel dem Kaiserlichen Munitionsministerium in Berlin Raketen zur Beschießung von London angeboten. Und das ist doch ein echter Faust-Stoff.

Würden Sie zum Ende dieses Jahrtausends sagen, daß die Menschen moralisch Fortschritte gemacht haben?

Ich denke, es gibt moralisch keinen Fortschritt, weil wo immer der Weltgeist – was immer das ist – etwas saniert hat, er es auf der anderen Seite wieder total fehlen läßt. Zum Beispiel besitzen heute große Unternehmen diese vollkommene Chuzpe, massenweise Mitarbeiter ‚freizustellen' oder ‚zu sanieren', wie es am zynischsten genannt wird. Das ist ein Sektor, auf dem sich Ungerechtigkeit und Amoralität auf eine Weise breit machen, wie es noch vor zehn Jahren nicht denkbar gewesen wäre. Und daraus kann man doch wohl schließen, daß das Quantum an Übeln konstant bleibt, daß nur die Erscheinungsformen wechseln.

Wie ist heute ein gutes Leben zu führen, welche Ratschläge würden Sie jungen Menschen an die Hand geben?

[Frau Euler:] „Du sollst der Menge nicht folgen zum Bösen."

Ja, das letzte Gedicht, das ich vor drei Wochen geschrieben habe, heißt „Du sollst der Menge nicht folgen zum Bösen.", das habe ich sozusagen an meine Söhne gerichtet. Dem steht die Schwierigkeit im Wege, daß man als Zeitgenosse nicht fähig ist zu sehen, was das Böse ist. Das enorme Problem der Mitläuferschaft, totalitären Regimen anzuhängen, ohne zu merken, welches Unrecht man damit tut. Und heute sind nicht mehr der Staat und der Gesetzgeber die Feinde des Individuums, sondern die großen Wirtschaftsverbände. Was ist da das Böse? In einem Betrieb mitmachen, obwohl man sieht, daß der völlig ruchlos ‚aussaniert' – das ungeheuerlichste Wort. Dem steht entgegen: Sieht der einzelne das, und kann er darauf eingehen?

Man soll nicht mehr verlangen von der nächsten Generation, als was man selber auch versucht hat zu leisten. Das ist ein sehr schweres Thema. Sie können da nichts davon getrost schwarz auf weiß nach Hause tragen.

Herr Hochhuth, haben Sie ganz herzlichen Dank für dieses Gespräch.

Wollen wir jetzt ein Schnäpschen trinken oder ein Glas Wein?

Zeittafel

1931 Rolf Hochhuth wird am 1. April in Eschwege geboren

1963 Der Stellvertreter. Schauspiel.
(Untertitel ab 1967 ‚Ein christliches Trauerspiel')
Die Berliner Antigone. Erzählung.

1967 Soldaten. Nekrolog auf Genf. Tragödie.

1970 Guerillas. Tragödie in fünf Akten.

1971 Die Hebamme. Komödie. Krieg und Klassenkrieg. Studien.

1973 Inselkomödie. (= Nfsg. von 'Lysistrate und die NATO. Komödie.')

1974 Zwischenspiel in Baden-Baden. (erweiterte Fsg. von 1959)

1976 Tod eines Jägers. Entfernte Verwandte. Monolog.

1977 Tell 38. Dankrede für den Basler Kunstpreis (2.12.1976).

1978 Eine Liebe in Deutschland.

1979 Juristen. Drei Akte für sieben Spieler.

1980 Ärztinnen.

1982 Räuber-Rede. Drei deutsche Vorwürfe.

1984 Judith.

1985 Atlantik-Novelle. Erzählungen und Gedichte.

1986 Schwarze Segel. Essays und Gedichte.

1987 Alan Turing. Erzählung. Täter und Denker. Profile aus Literatur und Geschichte. War hier Europa? Reden, Gedichte, Essays.

1988 Unbefleckte Empfängnis. Ein Kreidekreis.

1989 Sommer 14. Ein Totentanz. Hitlers Dr. Faust. Drama. (Fragment)

1991 Von Syrakus aus – gesehen, gedacht, erzählt. Panik im Mai. Sämtliche Gedichte und Erzählungen.

1992 Tell gegen Hitler. Historische Studien.

1993 Wessis in Weimar. Szenen aus einem besetzten Land.

1994 Julia oder der Weg zur Macht. Erzählung.

1996 Effis Nacht. Monolog. Und Brecht sah das Tragische nicht. Plädoyers, Polemiken, Profile. Wellen. Artgenossen, Zeitgenossen, Hausgenossen.

2000 Der Arbeitslose. Zwischen Sylt und Wilhelmstraße.

Literaturverzeichnis

Werke von Rolf Hochhuth

Rolf Hochhuth: Alle Dramen 1, Reinbek bei Hamburg 1991.

Rolf Hochhuth: Alle Dramen 2, Reinbek bei Hamburg 1991.

Rolf Hochhuth: Der Stellvertreter. Ein christliches Trauerspiel, Reinbek bei Hamburg 1995 (Erstauflage 1963).

Rolf Hochhuth: Die Hebamme. Komödie. Erzählungen, Gedichte, Essays, Reinbek bei Hamburg 1971.

Rolf Hochhuth: Krieg und Klassenkrieg. Studien, Reinbek bei Hamburg 1971.

Rolf Hochhuth: Zwischenspiel in Baden-Baden, Reinbek bei Hamburg 1974.

Rolf Hochhuth: Tell 38. Dankrede für den Basler Kunstpreis 1976 am 2. Dezember in der Aula des Alten Museums. Anmerkungen und Dokumente, Reinbek bei Hamburg 1979 (Erstauflage 1977).

Rolf Hochhuth: Eine Liebe in Deutschland, Reinbek bei Hamburg 1983 (Erstauflage 1978).

Rolf Hochhuth: Räuber-Rede. Drei deutsche Vorwürfe. Schiller / Lessing / Geschwister Scholl, Reinbek bei Hamburg 1982.

Rolf Hochhuth: Spitze des Eisbergs. Notizen eines Zeitgenossen, Reinbek bei Hamburg 1994 (Erstauflage 1982).

Rolf Hochhuth: Schwarze Segel. Essays und Gedichte, Reinbek bei Hamburg 1986.

Rolf Hochhuth: Täter und Denker. Profile und Probleme von Cäsar bis Jünger, Reinbek bei Hamburg 1990 (Erstauflage 1987).

Rolf Hochhuth: War hier Europa? Reden, Gedichte, Essays, München 1987.

Rolf Hochhuth: Von Syrakus aus – gesehen, gedacht, erzählt, Reinbek bei Hamburg 1995 (Erstauflage 1991).

Rolf Hochhuth: Panik im Mai. Sämtliche Gedichte und Erzählungen, Reinbek bei Hamburg 1991.

Rolf Hochhuth: Tell gegen Hitler. Historische Studien, Frankfurt am Main 1992.

Rolf Hochhuth: Wessis in Weimar. Szenen aus einem besetzten Land, München 1995 (Erstauflage 1993).

Rolf Hochhuth: Julia oder der Weg zur Macht, Berlin 1995 (Erstauflage 1994).

Rolf Hochhuth: Effis Nacht. Monolog, Reinbek bei Hamburg 1996.

Rolf Hochhuth: Und Brecht sah das Tragische nicht. Plädoyers, Polemiken, Profile, Darmstadt 1996.

Rolf Hochhuth: Wellen. Artgenossen, Zeitgenossen, Hausgenossen, Reinbek bei Hamburg 1996.

Rolf Hochhuth: Zwischen Sylt und Wilhelmstraße, Berlin 1999.

Weitere Literatur

Diego Arenhoevel / Alfons Deissler / Anton Vögtle (Hg.): Die Bibel. Die Heilige Schrift des Alten und des Neuen Bundes. Deutsche Ausgabe mit den Erläuterungen der Jerusalemer Bibel, Freiburg – Basel – Wien 1974 (Erstauflage 1968).

Heinz L. Arnold / Stephan Reinhardt (Hg.): Dokumentarliteratur, München 1973.

Heinz L. Arnold (Hg.): Rolf Hochhuth, München 1978.

Eleonore Beck / Gabriele Miller / Eugen Sitarz (Hg.): Das Neue Testament. Übersetzt von Fridolin Stier, München – Düsseldorf 1989.

Frank Benseler (Hg.): Festschrift zum achtzigsten Geburtstag von Georg Lukács, Neuwied – Berlin 1965.

Rudolf Bultmann: Glauben und Verstehen, Bd. 2, Tübingen 1968.

Ferdinand Fasse: Geschichte als Problem von Literatur. Das ‚Geschichtsdrama' bei Howard Brenton und Rolf Hochhuth, Frankfurt am Main 1983.

Günter Gaus im Gespräch mit Christa Wolf, Rolf Hochhuth, Kurt Maetzig, Wolfgang Mattheuer, Jens Reich. Porträts 5, Berlin 1993.

Georg-Elser-Arbeitskreis (Hg.): Georg Elser. Gegen Hitler – gegen den Krieg!, Heidenheim 1989.

Geschichte und Drama: Ein Gespräch mit Heiner Müller, Basis 6, Frankfurt am Main 1976.

Eberhard Hermes: Interpretationshilfen – Der Antigone-Stoff: Sophokles, Anouilh, Brecht, Hochhuth, Stuttgart 1996 (Erstauflage 1992).

Walter Hinck (Hg.): Rolf Hochhuth – Eingriff in die Zeitgeschichte. Essays zum Werk, Reinbek bei Hamburg 1981.

Reinhart Hoffmeister (Hg.): Rolf Hochhuth. Dokumente zur politischen Wirkung, München 1980.

Ernst Jünger: Der Waldgang, Stuttgart 1995 (Erstauflage 1951).

Kinder- und Hausmärchen gesammelt durch die Gebrüder Grimm, München 1991 (Erstauflage 1949).

Rosemarie von dem Knesebeck (Hg.): In Sachen Filbinger gegen Hochhuth. Die Geschichte einer Vergangenheitsbewältigung, Reinbek bei Hamburg 1980.

Selma Lagerlöf: Nils Holgerssons schönste Abenteuer mit den Wildgänsen, München 1974 (Erstauflage 1961).

Edward Luttwak: Der Coup d'État oder Wie man einen Staatsstreich inszeniert, Reinbek bei Hamburg 1969 (Englische Erstauflage 1968).

Siegfried Melchinger: Hochhuth, Hannover 1967.

Meyers großes Taschen-Lexikon in 24 Bänden, Mannheim 1987.

Fritz J. Raddatz (Hg.): Summa iniuria oder Durfte der Papst schweigen? Hochhuths ‚Stellvertreter' in der öffentlichen Kritik, Reinbek bei Hamburg 1963.

Lucinda Jane Rennison: Rolf Hochhuth's Interpretation of History, and its Effect on the Content, Form and Reception of his Dramatic Work, University of Durham 1991 (Mikrofiche).

Hans Jürgen Schultz (Hg.): Wer ist das eigentlich – Gott?, Frankfurt am Main 1979 (Erstauflage 1969).

Lothar Schwab / Richard Weber: Theaterlexikon. Kompaktwissen für Schüler und junge Erwachsene, Frankfurt am Main 1991.

Rainer Taëni: Rolf Hochhuth, München 1977.

Henry David Thoreau: Über die Pflicht zum Ungehorsam gegen den Staat und andere Essays, Zürich 1973 (Deutsche

Erstauflage 1967 / Englische Erstauflage 1849).

Henry David Thoreau: Walden oder Leben in den Wäldern, Zürich 1979 (Englische Erstauflage 1854).

Walter Veit (Hg.): Antipodische Aufklärungen. Festschrift für Leslie Bodi, Frankfurt am Main 1987.

Margaret E. Ward: Rolf Hochhuth, Boston 1977.

Benno von Wiese (Hg.): Deutsche Dichter der Gegenwart. Ihr Leben und Werk, Berlin 1973.

Rudolf Wolff (Hg.): Rolf Hochhuth. Werk und Wirkung, Bonn 1987.

Namensregister